表紙図版　義太夫節浄瑠璃全盛期の竹本座と豊竹座
（早稲田大学演劇博物館蔵『竹豊故事』より）

刊行にあたって

浄瑠璃が板本として出版され始めてから、ほぼ四百年の時が経つ。その間に刊行された作品は千数百点にも達するであろう。わが国の代表的劇作家近松門左衛門の極く初期の作品を以て、古浄瑠璃と当流（新）浄瑠璃とに二分するのが浄瑠璃史の定説であるが、古浄瑠璃時代の作品（約五百点）は全てといってよいほど活字化されている。当流浄瑠璃となると、近松を初め、紀海音、錦文流、西沢一風、福内鬼外、菅専助の六作者に関してはそれぞれ全集が刊行されているが、それ以外の作者のものは文学全集等に収められた名作と称されるものに限られている。活字化された作品が極めて少ないのが現状である。

近代になると明治維新以前の書物が活字化されることとなる。この潮流の中に浄瑠璃名作も含まれ、その数は少なくない。だが名作の重複といわざるをえない。

近世芸能の浄瑠璃は近代になっても文楽の名のもと、舞台の芸能として隆盛を続けた。大阪という一都市に限らず、全国に文楽人口は充ち満ちていたといっても過言ではない。文楽を支える人口の相当数は浄瑠璃を習得する人口とも合致した。文楽は太夫、三味線、人形の三業によって成り立つ芸能であるが、太夫と三味線だけで浄瑠璃を聞かせること、今でいう素浄瑠璃でも十分満足できる。玄人は素浄瑠璃の会を開催する。素人もまた己の芸を披露することを試みる。これは浄瑠璃が音曲として勝れた表現技法を会得していることによるが、さらにいえば語られる内容が聴く者の心を揺り動かすためである。言葉を替えていえば文学としての鑑賞にも十分耐え得る内容を浄瑠璃が備えているということであろう。

浄瑠璃が語られ始めてさほど時を経ぬ時代から、文学として享受された記録は、全国各地に拾うことが出来る。何故か。手短にいおう。浄瑠璃は近世庶民の倫理観、人生観を構築していく上で必読書であった。それ故に近代の出版物に多く含まれたのである。

近世から近代まで、わが国の一般庶民に愛好された浄瑠璃、そこで展開された思想は、血肉となって伝えられたといってもよい。現代は如何であろうか。断絶があるという外はない。理由は浄瑠璃との接触の機が非常に薄くなったためである。この不幸な状況を打破すべく、私どもは義太夫節正本刊行会を平成十年に組織して活動を始めた。未翻刻作品を世に送り出し、あわせて戦前に翻刻があるものの手に入りにくく、今や未翻刻と同様の作品も対象とすることとした。

先に述べた古浄瑠璃の作品や浄瑠璃作者の全集は学術出版の形をとったが、ここに提供する「集成」は、誰もが一度は手にとらねばならなかった小・中学校の教科書を意識した造本にした。近代日本における個性あふれる教育機関として知られる玉川大学の出版部において、この「集成」が世に出ることも、何かの巡り合わせではなかろうか。このことは会員一同の喜びでもあり、今は読者の一人でも多からんことを祈る気持ちである。

右は第一期刊行時の趣意に多少の手を加えたもので、今も当初の意識を持続している。

第二期に至り賛同した数人の若い研究者の参加を得、第三期以降は更に賛同者を増加した。刊行会の発展の上でも心強く、学問の継承の上でも、大変喜ばしいことである。

＊

ここまでが、第七期の刊行決定直後に、ご他界なさった鳥越文蔵先生のご執筆によるものである。
今回も、「集成」の続刊を準備する間に、日本学術振興会から令和四年度・五年度科学研究費補助金及び令和六年度学術研究助成基金助成金の交付を受け、浄瑠璃正本の調査、デジタル・アーカイブ拡充に向けてのデータ作成を進めることができた。さらに日本学術振興会令和六年度科学研究費補助金研究成果公開促進費の助成にも恵まれたので、引き続き玉川大学出版部により「義太夫節浄瑠璃未翻刻作品集成」第八期として、十一作を刊行する運びとなった次第である。
なお、第八期の原稿作成最中の令和四年に、正本刊行会において長くご指導くださった内山美樹子先生が逝去された。先生からは「集成」の収載作品として、戦後数十年間に刊行された文学全集等に収載された作品も近年では入手しにくくなってきたことを鑑み、それらに収載された翻刻作品も改めて取り上げるべきとの方針をお示しいただいた。本研究会はその方針にのっとり、今期以降作品を選定していくこととした。

終わりにこの「集成」刊行にあたって底本を提供してくださった、大倉集古館、国立劇場、松竹大谷図書館、天理大学附属天理図書館、東京都立中央図書館加賀文庫、文楽協会豊竹山城少掾文庫、早稲田大学演劇博物館、諸本の閲覧を許された所蔵者・機関各位に篤く御礼を申し上げる。

令和六年　六月

義太夫節正本刊行会

目次

凡例

一、底本　出来得る限り初板初摺の七行本を用いた。

一、作品名　内題によった。

一、校訂方針　底本を忠実に翻刻することを原則としたが、次のような校訂を施した。

1　丁付　丁移りの箇所は本文中に「（　）」を施し、その中に実丁数を洋数字で示し、表「オ」、裏「ウ」の略号を付した。

2　文字　①平仮名、片仮名とも現行の字体を用いた。

②常用漢字表、人名漢字表に収録されているものはその字体を使用することを原則とした。ただし、一部底本の表記に従って複数の字体を使用したものもある。

（例）　回／廻　食／喰　杯／盃　竜／龍　涙／涕　婿／壻／聟

③特殊な略体・草体・合字などは表記を改めた。

（例）　↓様　↓部（ただし夕↓夕べ）　↓候　↓郎

↓参らせ候　↓給　↓也　↓こと　↓こゑ

↓より

↓かしく

↓まゐる

↓さま

④踊字は、原則として平仮名は「ゝ」、片仮名は「ヽ」、漢字「々」に統一した。ただし「〱」は底本のままとした。

⑤仮名遣い、清濁、誤字、衍字は底本のとおりとした。

⑥＊は原本の「ママ」の意であるが、極力付さないこととした。

3　譜　墨譜は全て省略したが、文字譜は全て採用し、本文行の右、または振り仮名の右の適切と思われる位置に付した。

4　太夫　語る太夫を指定した略号は、それを「□」で囲い、文字譜の位置に付した。

5　句点　「。」で統一した。

6　破損　底本が破損などにより判読不能の場合は、同板の他本により補ったが、一々断ることはしなかった。

7　改行　本文は曲節等を配慮して適宜改行した。

一、解題

底本の書誌、番付・絵尽の有無（『義太夫年表　近世篇』に依拠）、初演年・劇場、主要登場人物、梗概で構成し、補記として校異本に触れることもある。

今川本領猫魔館

今川本領猫魔館

序詞
今川了俊《いまがはりやうしゅん》愚《ぐ》息《そく》仲秋《なかあき》に制《せい》して曰《いはく》。文道《ぶんだう》をしらずして。武《ぶ》道勝利《だうしやうり》を得《う》べからず。大《だい》をたもち功《こう》を定《さだ》め。民《たみ》をやすんじ衆《しう》を和《くは》し財《さい》をゆたかにす。右此条々常《みぎこのでう〳〵つね》に心にかけらるべしと。其教万世君臣《おしへばんせいくんしん》の誡《いましめ》として。国《くに》富民《とみたみ》もやすらけき。君は百継三代《もゝつぎみよ》の皇《すべらぎ》。弓馬《きうば》の統領《とうりやう》は足代征夷《あしかゞせいゐ》大将軍《だいしやうぐん》。義政《よしまさ》の治世《ぢせい》に当《あたつ》て今川伊予ノ守《いよのかみ》。源《みなもと》の貞世《さだよ》入道了俊公《にうだうりやうしゆんこう》《ヲロシ》〽駿河国《するがのくに》に。居城《きよじやう》有ル。

地中ウ
君の覚《おほ》へ他《た》に越御《こへ》（1オ）大事の時節《じせつ》は《ウ》めし出され。万《ウ》ン事加言《かごん》せさせん為隠居《ゐんきよ》は御めんなら《ハル》ね共。嫡《ウ》子《ちやくし》伊予《いよの》ノ介《すけ》仲秋《なかあき》を京都にめされ宮仕《みやづかへ》。父子《ふし》東西《とうざい》に立別《わか》れ忠勤無二《ちうきんむに》の暇《いとま》々《〳〵》。定家《ていか》家隆《かりう》の作意《さくゐ》を伝《つた》へ。和歌《わか》の道なん猶さかしく。心を寄《よせ》し月花の。老木《おひき》の末過《すへすぎ》つる比《ころ》より。重《おも》き病《やまひ》に伏《ふし》給へど。是我病にあらず年なりと。御薬を用《もち》ひ給はねば。奥方《おくがた》の御舎弟駿河守定広《しやていするがのかみさだひろ》。其倍臣梶田民部《ばいしんかぢたみんぶ》を召連《めしつれ》。御心を慰《なぐさ》めの生花《いけばな》取リ持《もた》せ御次《つぎ》の。間に相詰《つむ》れば。

家の執権大道寺新左衛門勝基《しつけんだいどうじしんざへもんかつもと》を始《はじめ》として。昵近外様《ぢつきんとざま》の諸侍《しよさふらひ》　思ひ〳〵の（1ウ）生花《いけばな》に。遠近《ゑんきん》の珍花珍木《ちんくはちんぼく》。置花生釣花生《おきはないけつりはないけ》ヶ。花籠水撥花筒《かごすいばちつゝ》なんど。めん〳〵付札《つけふだ》に名をしるし。草木が物はいはね共。君が心を慰《なぐさ》めの心をつくしてなみ居たり。

定広《さたひろ》一チ々に詠《なが》めやり。ヲ、いづれも作意《さくゐ》といひ。めづら敷木草を寄《よせ》られし心づかひ。了俊《りやうしゆん》見物《けんぶつ》なされなば。早速病《さつそくびやうき》　気も本服《ほんぶく》すべしいざ此通《とをり》　申さんと臥所《ふしど》に。こそは入にけれ。

盛《さかん》なる身にいたはりの。有リてさへ。衰《おとろふる》　身のなか〳〵に。八十《やそぢ》に近《ちか》き老《おひ》の波《なみ》立チ居《ゐ》も。心に任《まか》せねば。

杖にすがり手をひかれ。褥《しとね》にうつり脇息《きやうそく》に。かゝるも弱《よは》き玉の緒《を》の頼《たのみ》すくなき（2オ）風情《ふぜい》にて。駿河《するが》守《かみ》が披露《ひろう》のごとく。我をふたゝび生ヶ花と。秀句《しうく》によそへしかた〴〵こゝろざしの花の数々《かず〳〵》。柳に寒菊《かんきく》水仙に酸残花《さざんくは》。いれたり〳〵。菥《つは》に寒牡丹《かんぼたん》。次キに見ゆるは枇杷《びわ》の花よな。面白《おもしろ》し。釣《つり》花生ヶは出船の風流《ふうりう》。白玉椿《しらたまつばき》に木槿《むくげ》の会釈《あしらい》。時ならぬ花をさいたり〳〵。花にて人を殺《ころ》すかや此花の主シは誰《たそ》。心憎《にく》しと有ければ。

駿河ノ守謹《つゝしん》で。是は〳〵思ひも寄《よら》ぬ我等が献上《けんじやう》の生ヶ花。御目にとまりし珍重《ちんちやう》。惣じて木槿《むくげ》と申ス物は秋咲《あきさく》物。此寒中に求《もとめ》得たるは。雪中《せつちう》に笋《たかんな》を待たる唐土《もろこし》の猛宗《もうそう》にひとしく。天よりの賜《たまもの》。又添《そへ》て生ヶしは君が御命。八千代《やちよ》（2ウ）をこめし玉椿《たまつばき》。駿河ノ守が寸志《すんし》を顕《あら》はす迄に候と述《のべ》ければ。

大道寺《だいどうじ》膝《ひざ》立テ直《なを》し。左様《さやう》に仰られず共。此方より御不審《ふしん》申さんと存《ぞん》ぜし所。玉椿の八千代はしらず間のあたり。椿《つばき》を武家《ぶけ》に用《もちゐ》ぬ事。花の首《くび》もろく落るを以《もつ》ての忌《いみ》事。云ッに及《およば》ず。又人を呪咀調伏《のろふてうぶく》には。曼朱沙花《まんしゆしやけ》俗《ぞく》に死《し》人《びと》花と云ッ花と。此木槿《むくげ》を用る事世にしる所。剰《あまつさへ》　花も四つ。葉《は》も四枚《まい》。四花《くは》四葉《よう》はさゝぬ事御失《しつ》念《ねん》なされしか。病家《びやうか》に出舟の花を生ヶる事面々《めん〳〵》覚悟《かくご》有ルべき事。此花の主シ心憎《にく》し。花にて人を殺《ころ》すかと。余所《よそ》ながら了俊公《りやうしゆんこう》の御当言《あてこと》御耳《みゝ》へははいらずか。それでも猛宗《もうそう》が孝行《かう〳〵》と同じ事か。云ィ（3オ）分ヶあらば御返答《へんとう》承はらんと　ウフシ　詰《つめ》かけたり。

地色ウ　梶田《かぢた》民部《みんぶ》進《すゝみ》　色　出。詞　ヤア過言《くはごん》也新左衛門。身が殿を花指《さし》と思ふか。玉椿《たまつばき》の八千代《やちよ》といへば八千代と計リ思し召ス。木槿《むくげ》を生ヶられしは珍敷《めづらしく》。了俊公の御心を慰《なぐさ》めんと思し召ス孝行《かう〳〵》一ッ遍《へん》。何のかのといはれざる非難《ひなん》。年には似合ず遠慮《ゑんりよ》あれと。いはせも立す誰《たれ》に遠慮。御辺《へん》がしつた事でなし。すつこんでいよと一ト口にやりこめられ。地ウ　主従《しうぐ》共に手持なさ　中フシ　面目《めんぼく》なふぞ　ハル　見へにける。

地色中　了俊やゝ笑《わら》はせ　色　給ひ。詞　大道寺《だいどうじ》が申ス詞はさる事なれ共。其咎《とがめ》は他《た》人向《にんむき》。了俊即《すなはち》　定広《さだひろ》定広即　地ウ　了俊なれば。ウ　何故　ハル　悪念《あくねん》に有ルべ　中　きぞ。詞　入道老病《らうびやう》のあすしらず。仲秋《なかあき》とても年シ若《わか》く。一国万民《ばんみん》の父母《ちゝはゝ》とならん事覚束《おぼつか》なし。

母方の伯父《おぢ》（3ウ）も伯父《おぢ》は伯父。御辺《へん》今より我にかはり国の政道執行《せいたうとりおこな》へ。仲秋が生先《おいさき》国ク主の器量《きりやう》備《そな》はらずんば法師《ほうし》となし。飢《うへ》ずこゞへぬいたはりを頼入ルとの給へは。大道寺が化転《けでん》がほ民部《みんぶ》は主の袖ひいて。御受ケ〳〵とすゝめても。定広《さだひろ》は夢見しごとく恐レ入。扨は生ケ花の不調法《ぶてうほう》。野《や》心ン有ッてのしはざと思し召サるゝか。申シ訳《わけ》事むつかし。七枚起請《まいきしやう》 血判《けつばん》か金打《きんてう》か。御辺次第都へ人も登《のぼ》せたれば。仲秋が下向《げかう》もおそふて明日。早《はや》くば今日と申詞もおはらぬ所へ。若殿只今御下向と追々の注進《ちうしん》。櫛《くし》のはを引がごとく。執権荒川蔵人近平《しつけんあらかはくらんどちかひら》に。早咲《はやざき》の白梅《はくばい》一ト本ト筒《つゝ》に生ケ取リ持せ。お傍近《そばちか》く仲秋都より帰りて候。先ッ上々《うへ〳〵》にも御機嫌《きげん》（4オ）よく。西海《さいかい》四海の果《はて》迄も安全《あんせん》に事治《おさま》る。心元トなきは父の御病　気《びやうき》御薬も用《もち》ひ給はぬよし。将軍家《しやうぐんけ》にも以《もつて》の外ヵの御驚《おどろ》き。何とぞ医療《ゐりやう》をくはへられ御命生キてたべと。前ン後ふかくに見へ給へば。蔵人立チ寄《より》是こそ将軍の。御庭《には》に咲《さい》たる早咲の白梅《はくばい》。君に見せ奉られとの御事也と。御前に指置《さしおけ》ば。おもき頭《かしら》をかろく上ケ。仲秋の顔ばせを見上ケ見おろし嬉しげに。あれ見よ我心を慰《なぐさ》めんと。人々の生ケ花

を送《おく》られし折《リ》も折《リ》。将軍の賜《たまもの》も同じ生《ケ》花早咲の白梅は。地色中 ふたゝび春にあへと有御心 ハル の有がたや。詞 たと
へば棟梁《むなぎうつばり》となる。木曽信楽《きそしがらき》の良材木《よきさいもく》も切《リ》尽《つく》すとは思へ共。其種《たね》残《ッ》て又棟梁となるごとく。入道（4
ウ）此世を立《チ》去《ル》共忠義の心ひるがへさず。地色 ウ 必《かならず》棟梁《むなぎうつばり》と成《ル》事を忘《わす》るゝ 色 なと。詞 近習《きんじゅ》を以《もつて》一《ト》つの箱を取《リ》
寄《よせ》給ひ。是こそ汝が為記置《しるしおく》制詞《せいし》の条々《でうでう》。此書《しよ》を読《よん》で政道執行《せいたうとりおこな》はゞ。地ウ 父入道がながらへ有《ル》同然《どうぜん》と一《チ》巻《くはん》 フシ を
手に渡し。ウ ヤア旁《かたがた》よ入道今《ン》日相果《はて》ても。ウ 仲秋かくて有《ル》上は国繁昌《はんじやう》疑《うたがひ》なし。ウ 我病気憂《うれ》ふべからず。ウ 仲
秋帰国悦《よろこび》の酒盛《さかもり》せよと。ハル 元《ト》の臥所《ふしど》に入給ふ。中 ウ 実《げに》名将の筆の跡今末の世に至《いた》る迄。手習《てなら》ふ子共の読書《とくしよ》の
始《はじめ》。ウ 今川状とて今川の。ハル 教《おしへ》たへせず身を守《まも》る人の。三重 上 鑑《かゞみ》と〽あきらけき。
地色ウ ハル 駿州三保《みほ》が崎羽《さきは》衣《ごろも》の明神と申は。ウ 往古《そのかみ》天女の天くだり仮《かり》に教《おしへ》し駿河舞《するがまひ》。中 其羽衣の影《かげ》とめて。スヱテハル 和（5
オ）中 光のひかり。上 白妙《たへ》の雪は。ノルフシ ふりつゝ御社に。ウ つゞく宝蔵拝殿の軒《のき》も。小ヲクリ 瓦もうづもれて。キン 降《ふり》もかさねず
ウ 消《きへ》も始ぬ中空に。中 松ふくかせの音ならで。ハルフシ 歌 中ウ 竹の筒音《ね》の節。ハル こめて。合 中 尺八。ウ 修行の。梵《ぼ》論字《ろんじ》笠。ナヲス 地色 子細

ウ 有げに ハル た丶 中 ずみて。見やる向ふの松原より。 歌中 同じ。 ハル 姿 下キン の。 合 虚 ハル中 無《こも》 ハルキン 僧の。 ナヲス フシ 二人リ連《つれ》。

地色 互 ウ に行合あたりを見廻し。 詞 ヤア民部殿か。早かりし才蔵殿。是こそ主人駿河守定広公。笠は互に其儘《まゝ》〳〵。

地色ウ いざ御目見へと神木の。 ウ 天女の松のかた影《かげ》に三人蹲《つくま》ふ三ッ鼎《がなは》。 ハル 定広小声に成て。 詞 聞及ふ片桐《かたぎり》才蔵とは和殿よな。先だつて梶田民部を以《もつ》て返ぜし一大事。早速《さつそく》一味同心《どうしん》の段先以過分ッしごく。扨今日此所にて。蜜々《みつ》に出合ッ事余《よ》の義（5ウ）にあらず。存ジのごとく了俊相果《あいはて》たるによつて。御預リの羽衣改《あらため》の為。近ヵ々都より山名弾正《だんじやう》殿御下向《げかう》。其内に盗《ぬすみ》とらいでは我大望成就《もうじやうじゆ》せず。油断《ゆだん》有ふとは思はねど。一ッ刻《こく》も早く心せく。さあらばあて行《おこなひ》ふ知行《ちぎやう》の墨附《すみつき》。只今直《すぐ》に渡し。其方の一札も受ヶ取たしとさ丶やけば。御諚《でう》の趣《おもむき》承知《せうち》仕る。夫レについて一トつの不審《ふしん》と申スは。かやうに蜜《みつ》々の御世話《せは》やかれず共。了俊公御家督《かとく》御譲《ゆづり》有ルべしと御意《ゐ》の時。なぜ御受ヶは。イヤなふ〳〵我に家督《かとく》を譲《ゆづ》らんとは。了俊が本ン心ならず。あつといふかいはぬか。我心腹《しんふく》をさぐり見ん為。よし又真実《しんじつ》にもせよ。譲《ゆづり》請た其跡間もなく仲秋に譲戻《ゆづりもど》さねば。

天下の御政道《せいたう》立ず。我に頼れ。御辺《へん》羽衣を盗出してくれめさるれば。紛失《ふんじつ》（6オ）の科《とが》を仲秋に譲《ゆづり》追失《うしな》
ひ。其後此駿河守。尋出したる御奉公に指出《さし》せば。誰憚《たれはゞ》からず今川の家督《かとく》は子々《しゝ》孫々《そんぐ》迄我物よ。夫レ故の
賢人《けんじん》顔。二の足踏《ふむ》な合点か才蔵。先ッ宝蔵《ほうざう》の見ン分ンせよ。いや見分迄も候はず。ふり積《つもつ》たる此雪。地幅《ぢふく》の
地色 ウ
固《かため》は一向《いつかう》見られず。遙 脇《はるかわき》より大地の底《そこ》を堀《ほり》ぬいて。忍び入ル外カは候はず。いで方角《ほうがく》の見当《けんとう》見んと笠脱《ぬぎ》捨。
ウ ヲクリ コハリ ハル ウ 中
神ン木のいがきを。ひらりと踊《おどり》こへ。梢《こずへ》も高き天女の松。ふみしめ〳〵。手先キ足先キひへかへり。のぼる
ウ ハル ウ ウ ナヲス 地色 ウ
につれて枝々の。雪より先キに神罰《しんばつ》の我身にかゝる勿体《もつたい》なさ。十ッ方に眼《まなこ》を配《くば》りとつくと見届ケ。　梢　を
色 詞
おりしも社壇《しやだん》の影《かげ》より宮ずこ一チ人ずつと出。さいぜんより鼻《はな》つき合せ。何者か心得ぬと思ひし（6ウ）
地色 ウ ハル ウ
に。大それた其神ン木に。なぜあがつたといはせも立ず片桐才蔵。腰《こし》の尺八抜《ぬき》打チに。命なし割眉《わりみ》間《けん》よりす
フシ
かうべふたつに打わられ。雪より先キへ消《きへ》てげり。
地色ウ ウ ウ
すぐにあたりの雪かき寄《よせ》死がいをうつむ即座《そくざ》のきてん。定広いさんで天晴《あつはれ》〳〵。手の内見へた心ン底《てい》見へ

た。是契約《けいやく》の一札ぞと懐中《くはいちう》より取出し。渡すはかろき紙《かみ》なれど知行《ちぎやう》は千三百石。ハア有がたしといたゞき〳〵。又懐中より取出し。是こそ神宝《かんだから》をうばひ取リ。御手に入レん受ケ合の誓紙《せいし》。徽浪《がびらう》人ンの墨《すみ》うすく。紙は塵《ちり》紙同然《どうぜん》なれ共約束《やくそく》おもき命がけ。渡せば定広ヲ満足《まんぞく》。シイしめし合たる邪《よこしま》の。互に口はふさげ共。天地のしる事いかに共。いさ白。雪を。踏《ふみ》分ケて別《わか》れ。〳〵に（7オ）へ行月日。

実《げに》や光陰《くはうゐん》矢のごとし。はやき流レは駿河ノ国の本ン領《れう》。今川伊予ノ介仲秋。父了俊の忌中《きちう》事故《ゆへ》なく相勤《つとめ》。今日家督継目《かとくつぎめ》の上使御下向としらせによつて。去年《こぞ》の嘆キに引キかへて粧《よそほ》ひかざる館《やかた》の賑《にぎは》ひ。幾《いく》万代とざゝめけり。

近ン国の大名小名思ひ〳〵の祝義の進《しん》物。長久祝《いは》ふ長カ水引中を結《むすび》し妹《いも》と背《せ》の。云イ号《なづけ》は有ながら国は隔《へだて》て遠江《とを〳〵み》。浜名の故《こ》左衛門が独《ひとり》娘小蝶《てう》のまへの使とて。男まさりの発明《はつめい》者年も若木の歯《は》を染ぬ。紅葉《もみぢ》といふ名も可愛《かはい》らし。

地色ハル広書院《しよゐん》に色立どまり。詞誰《たそ》お取ﾘ次頼あげう。地中といふも唯《いらへ》もハル媚《なまめき》て。ウ荒川蔵人が妻《つま》の錦木《にしきゞ》しづ〳〵と奥より色立出。

詞よふこそ〳〵紅葉様。はる〴〵の所（7ウ）をお使とは御太儀。お国元ﾄの後室《こうしつ》様姫君様。御機嫌《きげん》よふお入ﾘ遊ばすでござんせう。アイお二ﾀ方共おかはりはなけれ共。気の毒《どく》は姫君様。御祝言《しうげん》のおそいをお待ﾁ兼。地色ウ明ｹても暮《くれ》てもくし〳〵〳〵ハルお使に色来たもそれが一つ。詞姫君様の御口上には。ア、是紅葉様。余所外《よそ》ｶでも有ﾙかなんぞのやうにお取ﾘ次所じやない。殿様のおめにかゝり直々《じき》にお返ﾝ事を。そんならどふぞおかほ見るが国へのおみやげ。地色ハルそふ共〳〵其通《とをり》申上ウふ。待ｯてござれと云捨てあたふた奥フシへ立て入ﾙ。ハル跡につつくり色只一ﾄ人。詞ほんにマア何から何迄気のきいた錦木《にしきゞ》様。蔵人様のかたいかほでいとしがりもむりてはない。地色かはいらしウい女ハル夫あひと独羨《ひとりうらやむ》後より。ウ背《せ》中《なか》をぴつしやりヲ、こは誰ﾚ（8オ）じやと色ふりかへり。詞エ、手のわるい錦木様。いつの間に爰へきて。コレ気遣《づか》ひさんすな。殿様と姫君の御祝言済《すん》だらば。

地ウこなさんにもよいハル男持ﾀすぞと。ウなぶられてウはづかしく顔に我名のフシ紅葉せり。

地色ハル しらせによつて伊予ノ介継目《つぎめ》の公服《はれぎ》あざやかに。ウ 折目正《たゞ》しき長ヵ袴《ばかま》の。中 跡にそばへて 歌ハル 飼猫《かいねこ》の。中キンウ 牝《めん》と牡《おん》とが。余《よ》念ンなく。詞 裾《すそ》をはぬれば耳を立。キン ざれつもつれつしなだるゝ。ハル ウ 詞 ヤアめづらしや紅葉。姫が方より今日の祝儀とは過分ン〳〵。是はマア冥加《みやうが》ないお詞。錦木殿にも申ス通《とをり》。此方の姫君様早ふ駿河へ嫁入したいと。毎日〳〵お待兼《まちかね》もお道理。けふは又継目の御祝儀とお聞遊ばし。そんならそなた。間に合やうに駿河《するが》へいて。殿様に継目（8ウ）の御祝儀申シ上た其上 地色ハル 急《きう》々に祝言ンしてだいてねて下さりませと。ウ それは〳〵はづみ切てござります。色 詞 ホ、、、ほんにわたしとしたことがつか〳〵〳〵。迚《とても》の事のつか〳〵次手《ついで》。祝言はいつせうと。日切のお返事聞てこいと催促《さいそく》のお使。ならふ事ならちか〴〵にとのお返事。サイナきの毒な事がござんす。しつての通リけふのお継目。御上使は山名弾正《たんじやう》様。追付是へお出の筈。規式《ぎしき》すんだ上で又殿様お礼に京へお登《のぼり》。地色ハル 一ト月や二月でついもおかへり遊ばさねば。ウ 御祝言はもちつとお隙《ひま》が入ふかい。色 詞 ヲ、錦木が云ッ通り。今度の上京帰国はいつ共はかられず。地ウ 帰り次第呼《よび》むかへんと聞てぐんにやり。ハル 色 詞 イヤ申シ錦木様。姫君もよく〳〵に思し召セばこそ押付ケはざなお使。と（9オ）いふて御祝言が急にもならず。御口上計リの御返事ではたんのふもなされまい。どふぞ殿様も姫君を思ふと有。なんぞ能《よい》お印シ遣ハされて下されうば。お悦《よろこひ》を見るやうにござりますと。紅葉がいふも尤《もつとも》々。然らばそちが望次第姫が心に叶はん物。何なり共みやげにせよと仰を聞て紅葉はいそ〳〵。サアお赦《ゆるし》が出たからは。何ぞ能イ思ひ付キ。今時のすいな世界《せかい》お小袖では有まいぞや。ヲ、そふ共〳〵。お文でも有まいし。何であらふな。さればな。ア、よい思案《しあん》が。どふじやへ。サア殿様は鼠《ねつみ》かお嫌《きらい》。夫レ故猫を御秘蔵《ひさう》遊ばすとお聞なされ。此方にも色々飼《かふ》て御らうずれ共。お気に入た猫がない。ならふ事なりやあのお膝《ひざ》にゐる二疋のうち。（9ウ）どふぞ一疋拝領《はいれう》して。姫君へのおみやげにいたしたふござりますと申シ上れば仲秋。さすが浜名の家に仕《つかふ》る身程有発明《はつめい》さよ。コレ此三毛《け》は美《うつく》しけれど祝言を待ッ姫が方へ。つがいの牝猫《めねこ》を引はなしてもやられまじ。牡《お》猫は毛色よからね共逸《いち》物なればわけて秘蔵《ひさう》。姫が方へ遣す間牡猫の妻乞《つまこふ》時々は。仲秋も妻を乞姫と慕《した》ふと心得て。不便《ふびん》頼ムと伝《つた》へてくれ。赤よあかれて戻《もど》るなと手づから取て紅葉に渡し。我も又此牝《め》猫姫と思ひて秘蔵せん。夫レはまあ〳〵お嬉しや。お使に参つた紅葉が外聞《くはいぶん》。ほんにこなさんあやかりもの。此牡猫の御褒美《ほうび》に能イ殿御を貰《もら》はんせと。なまめく詞の。下タ椽《ゑん》に足音トし（10オ）て。只今上使の御入と披露《ひらう》すれば。さもあらんと伊予ノ介衣紋《ゑもん》。繕《つくろ》ひ出迎《むか》へは。コレ錦木さん。よふ思へば此赤と其三毛とが別《わかれ》の段。せめて勝手《かつて》で暇《いとまごい》乞させていの。コリヤよからふと抱《だき》上る。猫も別は悲しまん生《しやう》有ルものを引分クれば。いもせの中も遠《とを》ざかると。しらずはかなき女子同士《どし》打つれ。〳〵てこそ入にける。

時も移《うつ》さず山名弾正の少弼《しやうひつ》。上使の役目おも〳〵しく。素袍《すおう》の袖に風を持せしづ〳〵入来る。跡につゞいて立テ烏帽子《ゑぼし》は駿河ノ守定広。挨拶《あいさつ》もなくずつと通れば。遙《はるか》末ツ座に伊予ノ介。御苦労《くらう》ぞふとひれ伏《ふせ》ば。弾正擁柄《おうへい》らしく。ヤア仲秋了俊が家督《かとく》相違なく仰付ケらるゝ間。代々今川（10ウ）家に御預《あつけ》の三保《みほ》が崎《さき》に神請《くはんじやう》せし。天《あま》の羽衣《はごろも》の神宝。継目《つきめ》の印シに頂戴《てうだい》させ。再《ふた》び宝蔵に納《おさ》めかへれとの上意《ゐ》なりと述《のべ》ければ。仲秋あつと頭をさげ。数ならぬ某に忝き御諚《てう》の趣《おもむき》。御前の義はよきやうに御上使頼奉ると。領承《れうちやう》すめば駿河ノ守。いやなふ有リがたい上意。早く羽衣を頂戴《てうたい》し了俊の跡を継でおくりやれ。甥《おい》のそなたが世になるはいつの事と思ふたに。是程嬉しい事はおりない。弾正殿何とそふじやござらぬかと。ぬつへりいへと何をがな。仲秋におちどさせ家国を我物に駿河ノ守。弾正に心を合せたくむ底意《そこゐ》ぞ恐《おそ》ろしし。

伊予ノ介上座に向ひ。先キ達ツて羽衣明神の神ン主。藤波権《ふぢなみこん》ノ大輔《たゆふ》（11オ）方へ役目なれば。大道寺《たいどうじ》新左衛門勝基《かつもと》を遣《つかは》し置ク。追ツ付ケ是へ持参せん其間。嘉例《かれい》なれば今川家に羽衣の。治《おさま》る代の物語あら〳〵申シ上べしと。まん中に押直《なを》りさも悠《ゆう》〳〵と語らるゝ。抑《そも〳〵》天の羽衣の御神と申奉るは。神代へて十二代。景行帝《けいかうてい》の御時。玉流す駿河国に。伯猟《はくりやう》といふ猟師《し》有。春立ツや霞の衣長閑《のどか》にて。木々の芽《め》出しの緑《みどり》の衣。清見潟沖《がたおき》に。鯛釣海士《たいつるあま》なれば。船こぎ出て三保が崎。三保の松原天の原ふりさけ見れば。松が枝に。妙《たへ》なる。衣《きぬ》の裏《うら》ふき返す浦かぜに。霊香《れいきやう》　四方にくんじつゝ其美《うつく》しさ世の。常《つね》のきぬとはさらに見へざりき。是こそ天の賜《たまもの》と。伯猟《はくりやう》取てかへらんとす。しばしなふ（11ウ）待給へといはんかたなき女の形。松の小かげを立出て。それこそ主シ有天の羽衣。な取給ひそ返《かへ》させ給へと。二人いへ共さらに返さねは我住なれし。天上へ帰らんやうも情《なさけ》の露。本の雫《しづく》に濡《ぬれ》そめてかはらぬ。いもせと成にけりかくてあらねば天人も。ついに羽衣取返す。乙女の袖の左右《さゆう》左〳〵さつ〳〵さ。羽かぜ。神風。こちふくかぜに松の調《しらべ》は東遊《あつまあそ》ひの駿河《するか》舞《まひ》。末世《まつせ》にとゞめて羽衣と。うたひにうたひ名に高し。宝蔵に納《おさ》めしは。彼《かの》羽衣を日の本トの宝とせんと。五色《しき》八色の唐糸《からいと》にて縫《ぬい》物し写《うつし》給ひし其時より。一千ン余《よ》年の今の世迄。羽衣の明神と敬《うやま》ひ祭《まつ》れば神ン徳まさに顕《あらは》れて。誠《まこと》天上の羽衣にもおさ〳〵おとらぬ神ン宝。先ン（12オ）祖《ぞ》今川国氏《うぢ》へ預給ひし古例《これい》として。代々当家を治る者頂戴《てうたい》せではかなふまじと。弁舌正《へんぜつたゞ》しくの給へは聞人あつとぞかんじける。かゝる所へ民部《みんぶ》が弟梶田主税《ちから》言ン上と呼《よは》つて。何かはしらず錦《にしき》の口覆《おゝ》ひしたる壺《つぼ》御前近カく指上《さし》れば。定広きつと見。ヤア言ン上とは何事子細《しさい》聞カんと有リければ。さん候某御供に召連《めしつれ》られ。中門の腰かけにやすらふ所。何者共知レぬ若侍此壺《つぼ》を門前に捨置キ逃《にけ》帰り候故。見申せは壺の上に。今川仲秋殿へ進《しん》上仕る間。上使の御前にて片時《へんし》も早く御覧《らん》有ルへし。委《くはしく》は一ッ通に認《したゝめ》置。駿河一ッ国の民百性と書キ付たるはいぶかしく候故。追ッ手をかけ候へ共早行方の知レず候。彼是《かれ》不審《しん》に存ル間（12ウ）御注進《ちうしん》仕ると。語れば一チ座も希有《けう》の思ひ。開《ひら》かぬ壺《つほ》の仲秋もやゝ打守り。

駿河一ッ国の民百性か此進物。上使の御前にて開《ひらく》べしとは。ムウ心得す去リながら。何ン条事の有べきぞ御両所の御慰《なぐさみ》。誰レか有ル罷リ出てひらくべし。はつと答《こた》へて荒川蔵人式礼《しきれい》して立チ出。深紅《しんく》にからむ口覆《おゝひ》夜ルの錦か怪《あやし》ながら。紐《ひも》をとく〳〵押シひらけばこはいかに。数多《あまた》の鼠ばら〳〵〳〵と飛出れば。仲秋は色まつさを正体《しやうたい》もなくかつぱと伏《ふせ》は手飼《てがい》の猫の爪《つめ》とぎすましてかけりいで。鼠は手の物ひつくはへ〳〵爰の。めんろうかしこの妻戸《つまと》追ッ詰〳〵追て入。蔵人あきれソレお薬よ水もてと。かつて覚へし女中の介抱《かいはう》。仲秋夢のさめたるごとく。心地《こゝち》わるげに指うつ（13オ）むき忙然《はうぜん》。としてゐたりけり。

地色ハル山名弾正色高笑ひ。ハ、ハ、、、詞いやはやか、らぬ仲秋が今の体《てい》たらく。壺の中の一ッ通《つう》もろくな事では有まい。地ウ定広読《よん》でおみやれと。ハルいはれて立寄ル壺の中かいさがして取出しくりかへしとつくと見コリヤ何ンしやハ、ア拵《こしら》へたり。おがくずもいへばいはる、。去比《さんぬるころ》仲秋が上京学文《がくもん》とは偽《いつは》り。九条の里の傾城《けいせい》に腰をぬかし。文ン武の二道を忘《わすれ》しばか者。大小もいで似合た様《やう》に大根《だいこ》売《うり》でもさせたが能《よい》と。かはいそふにナフ蔵人。仲秋に限《かぎ》つてよもや傾城狂ひとは嘘《うそ》でおりやろと。

地ウいふ下からハル主税《ちから》色かさし出。詞旦那そりや何おつしやる。奥州《おうしう》といふ傾城に登詰《のぼりつめ》。足の爪先《つま》キより。あたまのぎり〱から二三尺上へすとんとぬけさくの仲秋。(13ウ)千五百両に身請の相談《さうだん》。誰しらぬ者もないにヤアだまりおろふ。よいも悪いも駿河ノ守が心に有ル事。地ウいはれぬ儕レか出しやばり立。ウすつこんでおらふ

ハルと呵《しかり》付て色上使に向ひ。詞御覧のごとく何者の所為《しよゐ》はしらず此ごとくの落書《らくしよ》。併《しかし》仲秋に限り左様の不身持仕る者にあらず。地色ウ将軍の御前へは此事必ハル御沙汰《さた》なしといはせ色も立ず。詞ヤアそこ所でない。仲秋に今川の家督《かとく》

はつがさぬ。とはなぜ〳〵と蔵人主従《しうぐ》定広も化転顔《けでん》。ホヽ聞たくばゆつて聞そふ。酒宴遊興勝負《しゆゑんゆうけうしやうぶ》に長《ちやう》じ。家職《かしよく》を忘るゝとは了俊よりの制詞《せいし》の一トつ。夫レは二段指当ル今のざま。犬にもおとつた猫にとらるゝ鼠をこはがるへろ〳〵侍。戦場《せんぢやう》へ迎《むか》はん時敵（14オ）陳《ぢん》より鼠を出さば。責《せむ》る事は扨置キ逃帰るは定《ぢやう》の物。其臆病《おくびやう》の仲秋駿河ノ国の太守《しゆ》とは心へず。土性《どしやうね》根を見すへて百性共が進ン物の鼠の壺《つぼ》入。但シ又臆病でない云イ訳《わけ》有リや。我心に引くらべ此弾正を。後暗《うしろぐらい》者と思ふての云イ分ンか。今《ま》一言ンいふて見やれ定広と。ぐつと睨《にらむ》もせりふも兼ての二人が狂言《きやうげん》。見て取ル蔵人さあらぬ体に手をつかへ。ハアこは上使の御詞共覚ず。此義は主人直キ々に申訳ケ仕る筈《はづ》なれ共。心地あしき体御覧の仕合せ。先ツ何角《なにか》指置《さしおい》て。仲秋が鼠に恐るゝを恥と申さば。恐れ有譬《たとへ》ながら。衆生済度《しゆじやうさいど》の仏の中にも。白生《しらふ》の鷹《たか》。あしげの駒を嫌《きらい》給ふ。方便《ほうべん》すらかくのごとし。唐土《もろこし》には王思《わうし》が蝿《はい》（14ウ）賈誼《かぎ》が鵩《ふくろう》近カくは我朝右大将《うだいしやう》頼朝《よりとも》御夫婦。主人がごとく鼠に恐レ給ふ余り。手飼《がい》の猫はいふに及ばず。常《つね》の御殿の香炉《かうろ》置キ物。其外屏風《びやうぶ》襖《ふすま》の類《たぐひ》。衝立《ついたて》やりど妻戸《つまど》にも。

残らず猫の絵《ゑ》をかゝせて詠《なが》め給ふは。東童《あづまわらべ》も能クしつたる西行法師《さいぎやうほうし》。鎌倉へくだりし時。右大将家に召シ出され御感《かん》の余り。御床《とこ》に錺《かざり》給ふ彼銀《かのしろかね》の猫の置キ物。手づから取ッて下されし慥《たしか》なせうこ。それのみならす秘蔵《ひさう》の猫失《うせ》しかば。関所《せきしよ》〳〵に詢《ふれ》てとゞめ有ふ。其遺風《ゐふう》今に残て猫を通《とを》さぬ関《せき》所の古実《こじつ》。日本の惣追補《そうついふ》使中興武将《しちうこうぶしやう》の元祖《ぐはんそ》と敬《うやま》ふ頼朝卿。鼠嫌《ぎらい》の臆病武士《おくびやうぶし》とて笑はんや。何ぞや一ッ国一チ城の仲秋。鼠に恐《おそ》るゝが臆病と今めかし（15オ）き御一チ言。此上にも理屈《りくつ》あらば承らんとやり込られ。腮《あご》くい違ふ弾正定広互イにめとめを見合せて。まじめに成ッたる折こそあれ。

羽衣明神の神ン主藤浪権《ふしなみごん》ノ大輔《たゆふ》息キを切て馳参《はせさん》シし。只今大道寺新左衛門某両人立合。戸前の封《ふう》を改《あらた》め宝蔵をひらき候所。神ン宝をこめ置キし唐櫃《からひつ》みぢんに打砕《くだけ》。羽衣の行方知ず候へば。定メて盗人《ぬすびと》の御座候はん御越《こし》有ッて御全儀《せんぎ》をとげらるべしと。聞より俄に一チ座の仰天《ぎやうてん》館の騒動《さうどう》。蔵人参れとつゝ立上ればおまちやれ仲秋。羽衣を盗しは此国に望有ル者の仕業《しはざ》。此虚《きよ》に乗《のつ》て責《せめ》かけんも計《はか》られねばうかつに館《やかた》は明られず。全《せん》義《ぎ》には此定広主税《ちから》馬引ヶつゞけやつゞけと下知をなし。せきにせきたつ打立ッもゝ立チ。（15ウ）取ル物も取リあへず息をはかりに　〽かけつけて。

三保か崎なる。明神の神ン宝羽衣紛失《ふんじつ》してげれば。社家の騒動《さうどう》は云ッに及ばず。今川家《け》の老臣大道寺《だいとうじ》新左衛門勝基《かつもと》。役目にかゝる身のなんぎ。神ン主権《こん》ノ大輔《たゆふ》に注進《ちうしん》させ。館《やかた》の一ッ左右《さう》待ッ間せはしき老人の。心いらくら宝蔵天井《てんじやう》敷板唐櫃《からひつ》の。底《そこ》をかへして尋れと其行方もしらが天窓《あたま》。かき見だしたる計也。

家来共声々に。中お旦那。此蔵の乾《いぬい》隅《ずみ》の板敷動《うごく》に心付。引はなし見申ス所。亀の甲《かう》に切合せし。敷キ石三ッ四つはねかへし地の底《そこ》より通ひ道。金山の間府口《まぶぐち》同前堀抜《ほりぬき》に致せしと。聞に驚《おどろ》きかけ入ッて様子を窺《うかゞ》ひ。

扨こそ〳〵。何やつが仕業《しはざ》なるぞ抜ヶ道の吟味せん。穴《あな》の内は闇《くら》からん（16オ）栄螺《さゞゐ》空《がら》に火をとぼせ。

畏《かしこま》つたとひしめく折から。

注進《ちうしん》によつてかけ来る今川駿河ノ守定広。鳥井前に馬乗《のり》はなし息《いき》つぎあへず大声上。大道寺は何国《いづく》に有ル。

新左衛門〱と呼立られてハはつと傍近《そばちか》く畏り。不慮《りよ》の義が出来《しゆつたい》致シ近比もつて御苦労《くろう》千ン万。イヤサ新左衛門。今川の家断絶《だんぜつ》の此場《ば》にいたつて。御苦労の千万のと落《おち》付ィた挨拶《あいさつ》するは。羽衣の有所がしれたか。ハア先キ達ッてお聞の通り。神主権《ごんのた》大輔《ゆふ》と某立合。改《あらた》めし封印相違《ふういんさうゐ》なく。戸前をひらき候所に御覧遊ばせ。羽衣をとめ置し八つ足の唐櫃《からひつ》。かくのごとく打砕《くだ》き。中になければは仰天致《げうてんいた》し。吟味《ぎんみ》をとぐる蔵の中。乾《いぬい》隅《すみ》を掘《ほり》うがち大地の底《そこ》を通ヒ道。只今見付ヶ候故。家来を入レて全（16ウ）義を致《いた》す。折節《おりふし》御出と承り罷リ出て御挨拶《あいさつ》。羽衣紛失《ふんじつ》に極れば。役目に付た身の不祥《ふしやう》。白髪頭《しらがかうべ》をはね落さるゝ。それに驚《おどろ》く新左衛門にあらね共。御家の破滅《はめつ》。後代《こうだい》の譏《そしり》を思へは気か気でない。落付てゐるなどゝ曲《きよく》もない御一チ言ン。ヤア落付ぬとはいはれまい。其抜ヶ穴へ家来をやり。自身《じしん》はいかぬは落付た仕様《しやう》でないか。ハ、ハア誤《あやま》り奉る。某はいつて見届ヶんと先キにすゝめばけらい共。手ンでに灯《ともしび》火松明《たいまつ》ふり立テ残らず中へ入にけり。

梶田《かぢた》主税《ちから》はおくればせ定広の傍《そば》へさしよつて。宝蔵堀抜《ほりぬき》の通ひ道。あれにて具《つぶさ》に承り先ッは御安堵《あんど》。兄民部がおすゝめ申。片桐《かたぎり》才蔵といふ牢人《らうにん》。古今無双《こゝんぶさう》の忍びの上手。羽衣をばい取レとの御頼。相違《さうゐ》なくかくのごとく致し（17オ）たれば。早御願ィ成就《じやうじゆ》し。駿河一ッ国たてうとふせうとお心任せ。思ひ廻せば片桐才蔵。人間の及ばぬ仕業《しわざ》。ア、こりや〳〵声が高い。其才蔵か事さたなし〳〵。仲秋を罪《つみ》に取て落す内証秘蜜《ひみつ》の通ひ道。夫レとはしらす穴ばいり。耄《おひほれ》めが臨終《りんじう》まへたつた今しまふてやると。主従《しうぐ》ゝつぼに入込たる。けらいに先キ立新左衛門宝蔵より出来る。なんと〳〵大道寺。様子《やうす》いさい見届ケたか。先キはどこ迄堀抜た。全義の筋にもなる事かそれ聞キたい。さん候堀抜し大地の底《そこ》。一町計リ参りしが。其先キは穴を埋《うつみ》。行道も御座なければ全義の便リもなき仕合せ。此上は金堀の下財《げざい》をめしよせ。ほらせて見るよりさし当《あた》つて了簡《りやうけん》も候はず。駿河ノ守から〳〵と打笑ひ。年寄《よれ》ば愚《ぐ》に（17ウ）かへり詠言《たはこと》を吐《はき》出したな。その金堀に云ィ付ケて堀《ほら》す先キに当所《あてど》が有か。べらついた長ヵ全義。其間待ッて下されと太切な御上使。弾正殿が待タされうか。将軍の御前が済《すむ》か。跡の事は跡でさばく。役目は遁《のがれ》ぬ汝が誤《あやまり》。皺腹《しはばら》をかつさばき。埒《らち》明ケて仕廻ふたかナア色主税《ちから》よ。詞よさそふな物じやないか。イヤ此新左衛門。人に智恵《ちゑ》を付ヶられては腹の切やう存ぜぬ〳〵。コレ主税。たつた今穴の内でかはつた状をひろい申シた。地ウ是にて読《よむ》お聞《き》きやれと云にハルよごれし一通《つう》を色押シひらき。詞益《ます〳〵》御平安珍重《へいあんちんちやう》に存候。然《しかれ》ば先キ達《たつ》て申シ入候件《くだん》の一チ義。弥《いよ〳〵》以《もつて》相違《さうゐ》なく。急に事を御はからひ下タされ候様《やう》に。主人申付ヶらるゝに付かくのごとくに御座候。ひとへに〳〵頼存奉り候。くはしくは面談《めんだん》（18オ）に申シ述《のぶ》べく候以上。片桐才蔵殿へ梶田民部。なんと聞キめしたか。其方の兄民部が書《かゝ》れた此状。蔵の中にはどふしてあつた穴の中カへはたが入ッた。地ウよもや民部が才蔵とやらんを頼ンで。ウ此蔵の中へハテふしぎハルな事でおりないかと。ウいはれて色主税が赤面《せきめん》はいもう。詞イヤ其状は。其状とは覚へが有ルか。有ルかとは迷惑《めいわく》兄貴《き》の状おりやしらぬ。ヤアしらいでもしらさにやならぬ。地ウ是が大事の証拠《せうこ》ぞと。ウ懐中《くはいちう》へおさむるをハル手早く色定広ひつたくれば。詞ヤア是々太切ッな全義の種《たね》。なぜお取リなされた。ヲ、太切な物故に手に取ッてとつくと見る。ム、何片桐才蔵梶田《かぢた》民部《みんぶ》。成程是は民部が手跡《しゆせき》。きやつ定広がけらいなれば。

直キに身共が全義する。科人《とがにん》に極らば羽衣も取かへし。首を添《そへ》てわれに渡す。（18ウ）ナ新左衛門云分ンは有まいがな。ヤイ主税《ちから》。兄弟なれば儕レも遁《のがれ》ぬ。ナ遁さぬといふ合点がいたか。地色ウ身は神ン主宅《たく》へいて急にハル事色を決着《けつちやく》せん。詞ヤア駿河ノ守がけらい共。此主税めを取にがすな。大事の場所じやぬかるなと。地ハル心の工《たくみ》めでフシしらせかほでおしゑて急行。

地ウ新左衛門は身の上のハル大事とさらに気も付ず。ウ御全義有ば某も。一所に参つて承はらん。しばし〳〵とウ定広の跡を追《おふ》て行所を。色ウやりすごして後《うしろ》よりずつぱと主税がだまし打。弓ン手さがりに一トかたなきられハルてどう色と伏けるか。詞起直《おきなを》つて卑怯《ひきやう》者《もの》。兄弟の全義遁《のがれ》ぬ儕《おのれ》。声もかけずたまし打。一ケ所や二ケ所の疵《きず》ちつ共ひるまぬ新左衛門。地ウ身がけらい共働《はたら》けとハル。ウ主が抜ケは下人も抜キ左右方《さうほう》互に入リ乱れ。打合《あふ》刀はつば（19オ）なの穂先《ほさき》。ウ土手《どて》の若草踏崩《ふみくづ》し。ウ追つ追れつ切つ映山紅《きりしま》くれないの。ウ花にあらそふ血みどろちんがい切合〳〵三重上へ切むすふ。

互の運命《うんめい》。爰に極る大道寺。けらい残らず討とられ其身も数ケ所の深手によはり。刀を杖にひよろ〳〵。うんと計にのり返り。のめりくるしむ忠臣のあへなき今のふぜい也。

ヤア耄《おひぼれ》めに息《いき》有ッては後日の仇《あた》。とゞめをさゝんと立寄ル主税。起《おき》もなをらず勝基《かつもと》がねながらなくる剣はわざ物。膝節《ひざぶし》かけて両の足切はなされてかつはと伏は。残リは恐れて逃ちつたり。

新左衛門勝基が娘の若葉《わかば》。父のなんきと聞しより有ルにもあられず尋きて。見るも悲しき深手のくるしみ共に消入《きへ》ル気を直《なを》し。引起《おこ》しだきかゝへ耳に口を指寄《さしよせ》て。申シ（19ウ）若葉でござんする。コレお心を取直し。どふした訳《わけ》でこふなつたとたつた一ト言《こと》。コレ父上娘よきたかといふてたべ。是のふ〳〵と呼生《よびいけ》る声も。涙にくゞもつて。いとゞつらさぞまさりける。

ヤアわかば。あいたかつたによふきたな。御主人のなんきを思へは。ながらへたい死とむない。とはいへかなはぬ此深手《ふかで》。是に付ても残念《さんねん》は。世《せ》倅《がれ》新兵衛勝房若気《かつふさわかけ》故文ン道に心は寄《よせ》ず。無益《むやく》の殺生《せつしやう》を事とし。了俊公の遊されし制詞《せいし》の条目《でうもく》に背《そむき》し故。主人を憚《はゞか》り奉りこらしめの勘当。ヱ、扨新兵衛が有ならば。やみ〳〵と討れはせまい云ッて返らぬ事ながら。羽衣を全義の手がゝり証拠《しやうこ》に成ル一通を。定広殿にばい取ラれ剰《あまつさへ》此有様。かく成果れば何を以て羽衣を。取かへす便リも（20オ）命も。絶果《たへはつ》る。女ながら今いふ事耳の底《そこ》に聞とゞめ。兄新兵衛と心を合せ。片桐才蔵と名乗《なのる》者あらば。夫レにたよつて窺《うかゞ》ひ見よ。梶田民部か頼の状かた〴〵もつてきやつ曲《くせ》者。さはいへ慥《たしか》な証拠《しやうこ》もない。うかつにかゝらば返つて工《たくみ》の裏《うら》くはん。必せくなよせいては事をしそんずる。羽衣を取戻《もど》しふたゝびお家を立てくれ。親にかはつて忠義をつくせ。新兵衛か勘当《かんどう》も赦《ゆる》してやるといふてくれ。頼と計リ息《いき》切レしてくるしき中にも子を思ひ。お主大事と思ひ込ム。父の遺言《ゆいげん》兄様に聞せましたい見せましたい。思ふにかなはぬ浮世やともたへ。こがれて嘆《なげき》しが。ア、そふじや御遺言《ゆいげん》を立るは追ッて。指当《さしあた》る敵は目の前ヤイ主税《ちから》。よふも〳〵むごらしう切おつたな。とゝ様の此刀で（20ウ）とゝ様の敵を取と。ふり上れば手を合せ。足がなふても命か惜《おし》い。お助《たすけ》なされて下されと。未《み》練卑《れんひ》怯《きやう》もいはさばこそ飛かゝつて首打落し。嬉しや敵取ましたと。いへどこたへもなふ悲しや。早御息《いき》も絶果《たへはて》しと。むなしきしがいにすがり付わつとさけびて正体《しやうたい》も泣かこ。つこそ道理なれ。

駿河ノ守定広木がくれに立忍び。此めらうめも生ケては置《おか》れぬ。それとかけごへ一同《どう》にとつたとかけよる侍《さふらひ》共。狼藉《らうぜき》なと飛しさり。年も若葉がりゝしげに。刀ふり立なぐり立寄セは付ケじと働《はたら》け共。相手は大勢身は一トつ。前後四方を取まかれすでにあやうき時しも有レ。

荒川蔵人御用に付て出合頭《がしら》も若葉が仕合せ。ヤア女を相手におとなげなしと。突《つき》のけ（21オ）はねのけ押へだてはつたとにらんでつつ立たり。定広あせつてこりや蔵人。其女めは主税が敵。邪魔《じやま》せずとはや渡せ。イヤ敵とは心へず口論《こうろん》の意《ゐ》趣《しゆ》は存《ぞんぜ》ねど。見るていがこりや合ィ打。両人かやうに相果れば外カに敵はない筈《はづ》と。此蔵人めは存シます。但《たゞし》敵と御意《ゐ》なさるゝ。定広様の御了簡《れうけん》承るも後覚《こうがく》と。下からこねる理窟《りくつ》ぜめ。返答《へんたう》うぢ〳〵イヤ何ンじや。身もそふ思ふてとめたれど。ほうばいは見捨られぬとナ見たか。此定広がとめるを聞ず。おれに恥かゝした女を討はかなはぬ〳〵。サアいけ〳〵とへらず口よい塩にして逃帰る。
地ウ　ハル　フシ
若葉は悦び危ひ命助リしも。偏におかげ父のさいごは嘆てかへらず。遺言も候へば勘当の兄新兵衛様。是
地ウ　ハル　　　　　　　中　　　ウイゲン　　　　　　　　　　　　ハル
より直に（21ウ）衛を尋兄弟心をしめし合せ。羽衣を取かへし今の無念をはらしませう。ヲ、尤頼もし
　　　　　　　　　　　　　　　　　　　　ウ　　　　　　　詞ノリ
しゝと。しがいをかた付二人別て行先より。又むら〳〵と敵のたせい。シヤめんどうなうんざいめ
　　　　地ウ　　　　　　ハル
ら。此世の暇と取ては投やりふみとばし。敵に当は手ひどい荒川。逃るをつかんで人礫。はらり〳〵ば
　　　　　　ウ　　　　　　　　　　ウ
らく〳〵。かげも残さず打ちらす。武勇を爰に白妙や。富士も三ヶ国ならびなき。日本一ノ智者勇者。
　　　　　　　　　　　　　　　　　　　　　　　　　　　　　　　　　　　　　　チ　シヤユウ
ほまれを三保や足高山。其名も高き今川の。家引立る蔵人が忠義を。伝へて感じける
　　　　ウ　　ウ

第二

地ハル　　　　　中　　　ハルフシ　　　中
名にしをふ更科の月みよしの、。花はいづくも。かはらねど。所によりて川たけの流の里を根引キ（22オ）
　　　　さらしな　　ながれ　　　　　　　ね

地ハル　　　　　　　中　　　　　　中　　　　　　　　　　　　　ウヲクリ
の松。奥州と聞へしは。伊予ノ介仲秋に。思はれ思ふ花紅葉はでなる。姿引かへて屋敷模様の染小袖。
　　　　　おうしう　　　　　　いよ　　　　　　　　　　　　　　　　　　　　　　　　　　　　　　　　　　　　　　　やしきもやう

長地　　ウ　　　　　　　　　　　　　　　　　　　中　　　　　　ウ　　ハル
付キダ迄も一様のきどくぼうしに後帯。しやんとり、敷キあゆみぶり。いそぐも君のおのぼりに。あはた
　　　　　　　やう　　　　　　　　　　　うしろおび

　　　　　　　　　　　　　色　ウ　　　　　　　　　　　　　ウ　　　　　　　フシ
口より日の岡を過て程なく山科に。咲乱レたる糸桜。こかげにしばしやすらへば。
　　　　　　　　　　　　　　　しな　　　　　さき　　　いとざくら

地ハル　　色　　　　　　　　　　　　　　　　色　付キ　　　　　　　　ハル
遙跡からおゝいくく〉と。鳴もつてくる牽頭の又八。息もすたく〉走付キ。扨もがおれなりませぬぞ。
はるか　　　　　　　　　　　なり　　　　　たいこ　　　　　　いき　　　　はしり

　　　　　　　　　　　　　　　　　　詞
るき付ヶぬお前方一ッ丁もいかなく〉。廓でねつた道中格と油断したは大きな違ひ。八文字が一文字に脇目
　　　　　　　　　　てう　　　　　　　くるは　　　　　　　　かく　　ゆだん　　　　　　　ちが　　　もんじ　　　　　わきめ

もふらず時付ヶの飛脚 同前。わしはつかり跡へさがるは。めんような事しやと思へば道理こそ此大小。腰
　　　　　　ひきやく　　　　　　　　　　　　　　　　　　　　　　　　　　　　　　　　　　　　　　こし

骨《ぼね》につつぱりかへり。どうよくな牽頭持《たいこ》を串《くし》ざしの御趣向《しゆかう》。ひとつも（22ウ）合点がゆかぬ。さあ〳〵きつと白状《はくでう》〳〵。ヲ、こりや又様ンのか道理《だうり》〳〵。わしが心せく儘《まゝ》にいはなんだは誤《あやま》り。しつての通り去年《こぞ》の春仲秋様のお世話故母様諸共千本ン通リの下モ屋敷《やしき》に住ながら。お国にござる間は逢《あひ》見る事もかなはず。どふかこふかとお身の上をあんじる折から御館《やかた》に。大きなもめか出来たに付ィて。俄《にはか》におのぼりなさるゝよし。こま〳〵とのお文早ふお顔が見たふは有リ。御迎《むかい》の為けふ出てくるもばつとしては世間の聞へ。又一トつには色好みの殿様。外の女子と御らうじたらじやらくらは定《ちやう》の物。そこを御異見《ゐけん》申ス為此やうに姿をかへてコリヤ君。皆迄石清水《いはしみつ》八幡《まん》たまらぬ。近ン年の御趣向《しゆかう》。なんぼ粋《すい》な仲様ても。是計リは丈夫《ぢやうぶ》に一ぱいあかりませふ。ヤ一はい（23オ）の次手《ついで》に我らも一ぱい樽《たる》の口明しかけたい。幸ィ見事な花のかげ。爰で待タふじや有まいか。是はよかろとてん手に幕《まく》打チ毛氈《もうせん》の朱《あけ》も恥らふ色揃《ぞろ》へ女中の遊びなまめかし。世渡りは草の種《たね》とや。人の種。もつて生れたやりばなしやつかい持タず友もなき。独相撲《ひとりすまふ》の大前髪《まへがみ》其名も隠《かく》れあら虎《とら》が。身には垢《あか》づく単物《ひとへもの》大だらぼつ込のつさ〳〵幕際《まくぎは》近カくあゆみ寄リ。ヱ、けふはいつより往《ゆき》来も多《おゝ》いに。根《ね》ッから足のとまらぬは銭出さぬしはんぼう。とうとい寺は門からと大気《たいき》に見ゆる花見の幕。面白《おもしろ》そふにさはぐは〳〵。こちは花より茶碗《ちやわん》酒。ひつかけた勢《いきほ》ひ始《はし》めてくりよと立木のかげ。砂《すな》に前切リ土俵《どひやう》の形。くるりとぬいだ単《ひとへ》物。ふたへ廻りの木綿《もめん》ふんどし。腰に（23ウ）りうごと引しめ〳〵声はり上。東西《とうざい》〳〵さらば一チ番お慰《なぐさみ》。おめ通りで取リませふと。聞て又八そゝり出。コリヤ〳〵前髪そりやどふじや。女中の前共憚《はゞか》らず取リませふとはずない口上。しかも裸《はだか》で遣《やり》かけるか。いかにも〳〵。いか成貴《き》人《にん》の御前ンでも裸百貫《くはん》お赦《ゆるし》は。仁王殿と相撲《すまふ》取リ。御覧に入レんと腹張《はり》出し。振《ふり》出しふり込手先キ足取リ。ずつしり〳〵しと〳〵〳〵。砂《すな》を揉《もみ》手に打チ払《はら》ひ。膝節《ひざぶし》かためしことん〳〵。ヤアどこいな。ヤこりや〳〵〳〵。どつこいさせぬは。イヤまかせな。こりやさ〳〵。ヲツトしたは。ありや〳〵〳〵。是はいな。と投《なげ》た物。先ッこいらが理詰《りづめ》の取リ方。扨是からが関《せき》と関至極《しごく》の手を取リまする。

ヲツト待たり。ヤしごくでも上手でも。独リ相撲はしつかい。気ちがいの行水《ぎやうずい》する様で（24オ）面白ないは。ハテでも相手が。有ル共〳〵左少ながら此又八。ヱあのおまへがや。こりやよしになされませ。ム、扨は痩干《やせぼ》と侮《あなど》るな。必《かならず》負《まけ》て腹立テなよ。遠慮《ゑんりよ》はないといひ様着《きる》物引ンぬいで。ふんどしの襱《しは》引キ延し〳〵。力ラ足をぼそと踏《ふみ》。いざ参らふ。御出なされ。ヤアと手合しゑいと翻《はぬ》れば。しつと丶すかし。さす手をた丶き。つつとくる身をひらりとかはし。四つ手に組《くん》で。こりや〳〵。ア丶こりや立ッじや〳〵。ヲツトそふたはヤまつかせなどつこい〳〵〳〵と。もみ合ッ内にあら虎が片足砂《すな》に踏込《ふみ》ンで。ころぶ拍子《ひやうし》に又八も三間ン計リ翻《はね》とばされ。すつくと立て何ンとつよいか〳〵。ア丶お力ラと云イ中カ々御功者《こうしや》。此あら虎かなひませぬ。テモ嘘《うそ》を云ッ奴《やつ》かな。コリヤふつたな〳〵。我が力でこちとらは蝿虫《はいむし》同前。そこを負《まけ》た（24ウ）は上手者ういやつ〳〵。コリヤころりの褒美《ほうび》繋《つなぎ》ながら下さる丶。銭計リじやない酒も呑《のま》そふ。アイはれうぢ〳〵とからだに似合ぬ初心《しよしん》な男。コレなんぼ念比《ねんごろ》に云ッても。ナ尻《しり》のくる気遣ひないお客衆。こちへと打連て。ヲクリ幕の〳〵フシ内にぞ入にけり。

地ハル跡へ行かふ旅人をかた寄レ〳〵の中先キ払《ばら》ひ。ウ威勢《ゐせい》びゝ敷ハル大乗物《のりもの》。ウ近習《きんじゅ》は左右《さゆう》高もゝ立。たい笠たて笠フシ大鳥毛行烈揃《きやうれつそろ》へてふりくれば。

地色ハル幕《まく》の物見に引キ舟禿《かぶろ》。ウあれは慥《たしか》に仲秋様。もふそれそこへと云ッに奥州飛《おうしうとび》立ッ中心地《こゝち》。皆合点《がてん》かぬかりやんなと。ハル前ン後左右を取廻し。ウ乗物待ッてと声かくれば。中何ウ事やらんと舁居《かきすへ》させ。ウ戸を押シ明て立チハル出るは。山名弾正《たんじやう》色少弼《せうひつ》。ウ駿河ノ国よりかへるさのわるい出合に奥州は。ハルはつと驚《おどろ》く胸押シ色しづめ。（25オ）詞テモ扨も是はく〳〵麁相《そさう》な事。いかに待ッお方が有ルとて。とつくりと見定めもせいではしたない。地ウ是はまあ御赦《ゆる》されて

ハル下さりませ。フシア、気の毒《どく》やと詫《わび》るにぞ。

地ハル色弾正きつと見。詞イヤサ武士に対《たい》して楚忽《そこつ》のふるまい。堪忍《かんにん》ならぬソレ家来共。かたッぱし引くゝれ。といふ場《ば》所なれど品によつて了簡《れうけん》せふが。詫の仕様《しやう》がそふでない。マア頬包《ほうづゝみ》も引ぱつし名所も云ッたがよい。

イヤ我々はちと様子有ッて世間を忍ぶ者なれば。夫レ共に御容赦《ようしや》。ヲヽ其忍ぶが猶面白い。先ッおつ取て風《ふう》俗《ぞく》見事。爪《つま》はづれの尋常《しんじやう》さ。顔見ぬは近ヵ頃残念《ざんねん》。地ウ どふじや〳〵としなだれかゝる ハル 真《まん》中ヵへ。牽頭《たいこ》の又八ぬつと分ヶ入。色 詞 ヤア無体《むたい》なわろが有ルはいの。コレサ此刀が目に見へぬか。そちが武士《ぶし》なりやこつちも二本ン。（25ウ）しかも本ンの侍《さふらひ》だぞ。御主人の奥《おく》方を風《ふう》がよいの顔見せいのと。あたいやらしい。わるふなぶり立テめさるゝと。ほでぼし切ッて切リ落《おと》すと。地ハル 刀の反《そり》打チ鍔《つば》ちやん〳〵。ウ ふんばたかつた又八が。ウ よはみを見せぬ一ぱいきげん。フシ かさにかゝつてきめ付れば。詞 ヤア下郎めが推参《すいさん》千ン万。主で有ふが夫トが有ふが其女か狼藉《らうぜき》。身が腹存分詫《ぞんぶんわび》させねば此場《ば》は帰さぬ。螽《いなご》のやうなざまをしてぴこ〳〵と刀ざんばい。地ウ 邪魔《じやま》ひろがば

ハル 踏殺《ふみ》すと。はつたと睨《にらめ》はハツ悲し。色 詞 こりや叶はぬと色真青《いろまつさほ》 地ハル 中フシ わな〳〵ふるい跡じさり。

地ハル 弾正すかさずどこへ〳〵。ウ 動《うごく》な女ときどく帽子《ぼうし》引ぱづし。色 詞 ヤアこりや奥州。はてよい所で出ッくはした。

地ウ 日比の思ひこつちの物と。ハル 取ル手をすげなくふり切て。逃《にぐ》るも逃ヵさず引寄セて。中（26オ）抱《だき》付キ ウ 吸《すい》付キ無体《むたい》の

手込《てごめ》。是はとすがる引舟禿《かぶろ》。突飛《つきとば》されてあれ〳〵と。いへど手の立けらいもなく。せんかた尽《つき》て見へければ。

後《うしろ》につゝ立ッあら虎がずつと寄て腕《うで》もぎ放《はな》し。捻《ねぢ》上クれば。あいたゝた。サアいたくばのきやれと突放《つきはな》せば。夫レ家来共はつと一チ度にかけ寄ルを。まつかせ手の物してこいなと。かたはし抓《つか》んでひらい投《なげ》。負投《おい》。大腰首擲《こしくびたゝき》。障泥《あおり》合掌《がつしやう》肩《かた》すかし。やぐらさまたに打付翻《はね》付ケはり飛し。すつくと立たるあら虎は。誠《まこと》に猛虎《もうこ》のあれたる勢《いきほ》ひ手なみに寄《より》付ク者もなし。

弾正いらつて。ヤアこつがい同前の猿若《さるわか》め。真《まつ》二タつと切かくるをひらりとはづし腕首《うでくび》つかみ。ハテちよこざいせまいてい。初対面《しよたいめん》からあり様は付キ会《あい》のゑらいおとがい。(26ウ)猿若《さるわか》でも猿松でも。一本ン立チの此あら虎。東海道《とうかいだう》をへめぐつて其日暮《ぐらし》の独《ひとり》相撲《ずまふ》。相手ほしう思ふたに。ハレ究竟《くつきやう》なお侍。いざ一番仕らふ。東西〳〵西はあら虎。東は髭面《ひげづら》〳〵。ヤアこりや〳〵。馬鹿《ばか》つくすな相撲は嫌《きらい》だ。此腕《うで》を早く放《はな》せさ。

ハ、、、、こりやよつぽとつらい口上。髭《ひげ》口そらしておとなげない。女童《わらべ》に狼藉《らうぜき》させあんかんと見ちやいられぬ。すなをにかへれば其通リ。いやといへば此腕《かいな》握《にぎり》ひしぐがサアどふじや。なんと〳〵としめ付ければ。ヤレ待てくれ前髪。全ク狼藉ではないが色は思案《しあん》の外カといふ。当座のざれ言《こと》根も葉もない。誤《あやまつ》た〳〵。ヲ、誤るからはこつちも構《かま》はぬ。とつとゝうせいと。翻《はね》とばされて返答《へんとう》は。ぐつ共すつ共あら虎を尻目《しりめ》にかけ（27オ）て帰りける。

扨ッも強《つよ》し前髪。貴様《きさま》が居《ゐ》ねば此又八が手は立ず。大事の蔵本トちやゝむちやこ。あぶない所をよふきめた。手柄《てがら》〳〵とあふぎ立。悦《よろこび》事《ごと》に又酒々。こいつでなければおかしうないと。銚子《てうし》を取てなむ三宝。こりやつめたい。こゝらがきてん才覚《さいかく》と。桜の枝に間鍋《かんなべ》ちよつとかけまくも。忝いまだ中はたつぷり。あたりの木《こ》の葉《は》掻寄《かきよせ》て。ぱつとくゆらせ。何ッとよいか。コリヤ面白《おもしろ》い。出来た〳〵と打連《つれ》て幕にさゞめく〳〵折こそ有。

地ハル 向ふへふりくる先キ備《そな》へ馬上ゆゝ敷ク乗《のつ》たるは。今川伊予《いよ》ノ介仲秋。都登《のぼり》の旅装束《たびしやうぞく》物好《ずき》したる大小も。りつぱをかざる馬廻り。跡に鑓持草履《やりもちざうり》取リ。挟箱《はさみばこ》持チ沓籠《くつかご》持チ。急の道もなまめける女中の声に仲秋の。心をさそふ花（27ウ）のかげ。

いさめる駒《こま》の手綱《たづな》をひかへ。ハア、見事〱。実《げに》世の中に絶《たへ》て桜のなかりせば。春の心はのどけからましと読《よみ》しも理《ことは》り。ハ、ア面白し〱。ヤア是なる桜が枝に銚子《てうし》をかけ。木のは掻《かき》寄セ薪《たきゞ》となし。酒あたゝむる此風情《ふぜい》。林間《りんかん》に酒をあたゝめて紅葉《かうゑう》をたくと云フ。詩《し》の心をうつせしな。夫レは紅葉《もみぢ》。是は桜に。幕打はへ。さゞめく女中の酒宴半《しゆゑんなかば》。我も急キの道ならずばしばらくやすらひ慰《なぐさま》んに。近カ比残ン念〱と手綱かいくり乗《のり》出す。向ふへ廻ッて引舟が轡《くつは》づらしつかと取リ。待た。〱お侍《さふらひ》。花見の場《ば》共憚《はゞか》らず。駒の蹄《ひづめ》にかけちらすは。狼藉《らうぜき》と申そふか御仁体《じんたい》に似合ませぬ。あらくれしいなされかた返ン答《とう》聞ねば返さじと。引とめられて仲秋。実々《げに〱》是は誤《あやまつ》たり。花物いはねど南枝《なんし》より咲キ初メて。（28オ）陰陽《ゐんやう》の気を弁《わきまゆ》れば人間にことかはらず。 地ウ 殊更《ことさら》女中の興《けう》有ル中。 ウ 不骨《こつ》共狼藉共。御咎《とがめ》受ケしは ハル 気のせく儘《まゝ》。 謡 かた〳〵乗打かなふまじと

ナヲス フシ ハル
頓《やが》てひらりとおり給へば。

地ハル しとやかに 色 手をつかへ。 詞 アノ幕の内なはわたしが御主人。とふから是にござれ共。女子計リはどこやらに物がたらはぬお慰。面白からぬ折に幸《さいはい》よい殿御。くるしからずば酒《さゝ》一トつ上ケましたいとのお使なれど。どふも取リ付クかゝりがなさ。今のやうに咎《とがめ》た物。 地ハル お恥しやと フシ ほゝゑめば。

詞 コレハ〳〵となたかは存せね共お心ざし忝《かたじけ》なし。しかし酒は不調法《てうほう》。そさまの様な饅頭肌《まんちうはだ》むつちりが好《こう》物《ぶつ》と。 地ハル 手を取リ給へは 色 イヤ申。 詞 折角《せつかく》主人が思ひ思ふて申シ越《こし》たお使。すげない返事は申されまい。ちよつとござつて直キ々に。イヤとよ我は数ならぬ。深《み》山に立テる木《こ》（28ウ）の下タ露。しづくもならず御免ン有。扨ツもかたしヲ、しんき。 地色中 一ト村雨《むらさめ》の雨《あま》やどり ウ 一チ河《か》の流《ながれ》を ハル 汲《くむ》酒も。 ウ 縁有レばこそ 色 ござんせなア。 詞 ひかるゝ袖も。ひかふる我も。 謡 さすがいは 下 木にあらざれば。心よはくも立帰る。所は山科《しな》の花見酒 ナヲス 何かは。 フシ くるしかるべ

き。地ハルサアまんまと仕《し》課《おゝせ》た皆様ござんせ合点《がってん》色と。ばウら〳〵と出る屋敷風ハルフシ各々《おの〳〵》ぼうしぬぎ捨れば。

詞ヤア是は奥州。引舟禿《かぶろ》牽頭《たいこ》の又八こりやとふじやと。地ハルあきれ中給へウば奥州。どふとはおまへを出ハル迎《むか》ひに。

ウ御無事なおかほが早ふ見たさ。ウ風俗《ふうぞく》かへたはお心を色引見る為。詞今のを余所《よそ》の女中にしたら。下地はお好所《すき》はよしどんな事が出来ふやら。女子の傍《そば》に置れぬ殿御。当座《とうざ》の花にお目が付ク の。ヤ花の次手に花嫁御。

浜名《はまな》の姫君小蝶の（29オ）前様。やんがて御祝言なさるゝげな。地色ウお気がせかれふおハルめでたウやと。憎さ嬉しさ取まぜる中フシ女ハル心ぞやるせなき。

詞是は〳〵日頃に似合ぬ改《あらたま》つた云ィ分ン。小蝶の前は親々の云ィ号。アリヤ畢竟立テ物。サア其立テ物油断《ゆだん》かならぬ。馴染《なじめ》ば憎《にく》ふない物じやげな。夫レは近頃捌《さばけ》ぬぞや。アイ捌ぬは此道計。コレおつしやりますな。地ウ此道の血の道のともふ口舌かわつけもない。此又八か曖々《あつかい〳〵》。久しぶりの御対面ン。マアわつさりとお盃始めませふと取急ぐ。幕のハル内よりあら色虎が。ウ始終《しじう》を聞てによつと立ハル出。仲秋様へお願ィ有と色畏《かしこま》り。詞只今様子を聞キますれば。遠州《ゑんしう》浜名の娘小蝶の前と云ィ号の有ル。今川伊予介仲秋とはこな様の事な。私は其姫の母が為に真実《しんじつ》の倅。青砥《あをと》村にて育《そだつ》た（29ウ）牛五郎と云フ者。下タ地貧《ひん》な暮《くらし》の上。親父か死《しな》れて跡は弥《いよいよ》ぎつちりばつたり。しやう事なさに母者人は。浜名の館《やかた》へ奉公に出られたが。地ウ 縁《ゑん》でかな殿の気に入。引上られて奥様成リ ハル 結構《けつかう》な身の上。ウ 埒《らち》の明ぬ色 此牛五郎。詞 何仕覚《しおぼへ》た事はなし。奉公せふにも古わんぼう一チ枚《まい》持タず。夏冬《なつふゆ》なしにふんどし一トつ。裸《はだか》から思ひ付ィて独《ひとり》相撲《すまふ》と出たれ共。あがきやむと喰止《くいやむ》が一ツ時。せつない暮シにほつとりとあき切たじや。けふこな様に逢《あふ》たは幸ィ。此通リを母者人にとつくりと咄して。どうぞ呼《よび》取リ責《せめ》て鑓持《やりもち》にして成リと。兎角《とかく》ひだるいめさむいめせぬ様世話《やうせは》やいて貰《もらい》たい。ハテ其許《そこもと》も退《のか》ぬ中。小舅《こじうと》がいに頼ンますと。地ハル 遠慮《ゑんりよ》もないしやう ウ 商売《しやうはい》がら。ウ 裸《はだか》にしたる身の上 フシ 咄シ。

地ハル 聞て仲秋 色 驚《おどろ》き給ひ。詞 ム、扨は里に（30オ）残されし後室《こうしつ》の御子息《しそく》な。左様《さやう》共存ンぜず打過キしは残念《ざんねん》。サア先ッ是へ御出なされ。ヤそふ結構《けつかう》にいふて貰《もら》へば何共迷惑《めいはく》。イヤ〳〵最早《もはや》一ッ家の交《まじはり》。疎略に致《いたそ》ふ様はな

い。ハテ艱難《かんなん》なされたなふおいたはしやお笑止《せうし》や。地ウ此上へんしも早く後室へお咄ハルシ申。ウ早速迎《さつそくむか》ひも参る様
取リはからふ色筈《はづ》なれ共。詞未《いまだ》姫共祝言も致《いた》さず。馴々敷《なれなれしく》御挨拶《あいさつ》申スもいかゞ。其上此度は大切ッの用事に付キ
急《いそ》ぎの道中。重てとつくと。イヤそりやべん〳〵といつの事やら程がしれぬ。どふで早ふ頼たい。サア只
今も申通リ。急用《きうよう》を抱遠州《ゑんしう》へ立帰られも致さず。何分ン此度はとんぢやくならず。夫レ共にお急《いそぎ》ならば余人《よじん》
をお頼なされいと。地中取あへ給はぬきのどくさ。ハルほんにさつウきに危《あやう》ひ所を。ウあなたのお世話《せは》で助《たすか》つた。ウ殿が
お忘《わす》れなされ（30ウ）ても。ウ奥州が捨置クこつちやござんせぬ。ウ其気づかひなされず共もそつと色の御しん
ぼう。詞イヤ是々奥州。此度の上京は大切ッな事故。家来蔵人をめし連《つれ》たが追ッ付跡よりくるで有ふ。そなた
が爰にゐては気の毒《どく》。ヱ、そんならそふとなぜとふからおつしやらぬ。見付ケられたら呵《しから》れませふ。こは
やの〳〵ナフ又様ン。アア其蔵人と云フわろは。四角《かく》四面《めん》なかたぞじやげな。今でもきたらおまへ方より
一チ番に。マア此牽頭《たいこ》をぶちましよぞ。とかく長カ居《ゐ》は恐《おそ》れ有リ。地ハルサア〳〵ちやつと、打チ連て先キに立テば中仲

秋も。詞万ン事拙者か胸に有リ重《かさね》て御意得《ゐ》んおさらばと。地ハル挨拶《あいさつ》そこ〳〵フシ供人引連急《いそ》がる丶。

地ハル跡につつぽりあら虎が。ウふくれ面《づら》して色立上り。ヱ、詞あたぶのわるい。幸の出合と思ふてあつたら口に風ひかした。ヱイ〳〵是から浜名の（31オ）館《やかた》へ押かけ。直キ々に頼んでくりよ。かなしけりや身一ッ心ンと裸《はだか》で生れた独リ相撲《すまふ》。何のめんどい口たゝき人頼みはまだ前相撲。地ウ行事《きやうじ》もウ手合もいらばこそ。ハル投《なげ》やりならぬ親と子の。縁はウ小結《むすひ》 大色相撲。ウ心は関脇形《せきわきかたち》は前髪前ハル頭《がしら》 道はトル遙《はるか》に。ウ遠江。ウ宿《しゆくぐ》 々里々ウ勧《くはんじん》 進相撲花相撲色飛入リ。

取入ルウ身願ひ。ウ地取リに覚あら虎がクル千里一ト翻《はね》一トまたげ。世にあふ坂の関と関打越《こへ》。てこそ 三重〽行廻る。

地ハルフシ妹《いも》と背《せ》の中に中渡せる。橋柱《はしはしら》。中ウ其名は朽《くち》ぬハル浜名の館。故《こ》ウ左衛門の独リ姫品形チより心ばへ。花にウたぐへし小蝶《てう》
中の前。ウ心の下タ葉色づきて明ケ暮《くれ》したふハル恋草は。フシ花ウより月よりハル仲秋の。中ウ手飼《がい》の猫をハル。乗物にかき連出る女房達。ウ揃《そろ》への看板《かんばん》色花やかに。詞サア〳〵殿のお国入リお輿《こし》参れはい〳〵〳〵。おかち手をふれよい〳〵〳〵。

地中ウしんきな鑓《やり》（31ウ）ふり挟箱《はさみばこ》。ウ先キ退《のか》しやんせ振込《ふりこむ》ぞ。キンウ棒鼻《ぼうばな》取ッてはしと〳〵〳〵と刻《きざみ》 足。色指シ出すウ肘《かいな》

は梅のずあいか柳腰。ずんずと昇込《かきこめ》〳〵。よいやさ。よい〳〵やさ敷女中の遊び。なまめき渡る。雛《ひな》乗物御前間近ヵく昇居《すゆ》れば。姫君嬉しく立寄て。けふかあすかと祝言を待ッ折から。殿様のお国入とはよい辻占《つじうら》。そち達もしる通リ。鼠嫌《ぎらい》の仲秋様御秘蔵《ひさう》なされし猫なれ共。都へお登《のぼり》なされた中は。仲秋と思へ迚《とて》送リ給ひし此猫は。取リも直《なを》さず仲秋様も同じ事。夫レなればこそ自《みつから》が。手づから羽織《おり》も縫《ぬふ》て着《きせ》。馳走《ちそう》ほんさうするはいの。コレ殿〳〵と招《まね》く手になづきて膝《ひざ》にかけ上り。じやれつもつれつ。そばゆればいとしのものよとかき抱《いだき》。今より姫が大事の夫《との》と撫《なで》つさすりつ。猫撫声にて余念なき。

姫君のかいぞへ紅葉といへる才発《はつ》者。廊下《らうか》(32オ)伝《づた》ひに是は〳〵。猫様のお伽《とぎ》でお座敷迄が賑《にぎ》〳〵わつさり。そしてまあかはいらしい。赤《あか》の毛色にはへあふた。だて染の羽織とは姫君のよいお物好キ。わたしも猫の襟祝《ゑりいはひ》ひに。何ンぞと思へど指《さし》上る物もなく思ひ付キのほうろく頭巾《づきん》。のしのかはりに祝ふてごまめ付

ウ
たのは。猫様への御馳走と有あふ女中立かゝり。てん手に着るほうろく頭巾。扨も似合たよふ赤様。ほん

ウ
に器量を見かはしたとあなたこなたと抱取は。

中　　　　　　　　　　　　　　　　　ウ　　　　　　　ハル
詞　　　　　　　　　　　　　　　　　フシ
ウ様に皆惚ると此小蝶が悋気すると。

詞　　　　　　　　　　　　　地
其様に皆惚ると此小蝶が悋気すると。ついたはふれも畜生の。耳に聞取 執着 心よれつゝもつれつしなだ

ウ　　　　　　　　　　　　　　　　　　　　　　　　　ウ　　　　　　　　　　　　中
るれば。こりや悋気なさるゝがお道理。夜も昼も此紅葉がはり番して。徒 さする事じやないと手飼の猫

ウ　　　　　　　　　　　　　　　　　　ハル　　　　　地　　　　　　　　　　　　色
を抱取リ。是結構な物をきて。姙衆の部やぐゝのやねで必 さかるまいと。

中　　　ウ　　　　　　　ハル　　　　　　　　　　　　　　　　　　　　　　　　　　詞
詞　　　ウ
をつたら。鰹（32ウ）節や干鮭のたのみおこそもしれまいと。御城下の牝猫共か此風俗を見

ウ　　　　　　　　　　　　　　　　　　　　　　ウ　　　　　　　　　　　　　　ウ　　　　　　　　　ウ
様の忍ひの段と。猫の前脚取リゝにさつても立たり歩だり。皆口ゝに女房達。サア姫君の御寝所へ殿

ウ　　　　　　　　　　　　ウ　　　　　　　　　あゆ　　　　　　　　　　ウ　　　　　　　　　　ウ　　　　　　　　　　　　　　　　　　　　　　　　　　　　　　丹ン前
風の飛足もしどろにちよこゝゝ。皆打寄てお手車是は誰が殿様。手を振ル腰ふる尾をふる猫の長羽織。丹ン前

ウ　　　　　　　　　　　　　　　　　　　　　　　　詞　　　　　　　　　　　　　　　　　　　　地ハル
たる姙に。ちよいと手を出しそばゆれば。ヲ、いたふ嗜な殿御で。小蝶様の殿様と持はやし

ウ　　　　　　　　　　　　　　　　中フシ　ハル
諸共に。ふつと吹だす手飼の猫の。てうけおかしく姫君も暫く興にぞ入給ふ。

笑ひの声の聞へてや姫君の母上。家来犬《いぬ》島丹平を伴《ともな》ひ。一ト間の中より立出給へば申シ々母上様。手飼の猫に自《みづから》が。縫《ぬふ》て着セた羽織の手際《ぎは》。御らうじて下さりませ。どれ〳〵是は〳〵。手際よふ美《うつく》しうできました。ほんに赤は仕合セ者。是に付ケても仲秋殿（33オ）秘蔵《ひさう》の猫を送《おく》られしは。深《ふか》き子細有ルにもせよ。昔より言の葉に猫の妻乞《つまこい》と読《よみ》。花山ノ院の御製《せい》に。敷キ島の大和にはあらぬから猫を。君が為にぞ求《もとめ》出たると聞ク時は。姫君をしたふ心をあからさまに云ハずして。心をこめし送リ物。父了俊公より仲秋殿迄歌の道に疎《うと》からず。優《ゆう》にやさしき夫婦のかため。そまつにしがたき聟君の賜《たまもの》寵愛は尤なれ共。惣別《べつ》猫と云フ物は。余《よ》の畜類《ちくるい》に事かはり罪《つみ》ふかく。釈迦《しやか》御入滅《にうめつ》の時五十二類の衆生《しゆじやう》に洩《もれ》て。ねはん像《さう》にもないと云執《しう》念ン深《ふか》い者を。人に勝《まさつ》て寵愛《てうあい》は返《かへつ》て仇《あた》をなす物ぞや。のふ紅葉なんとそふは思やらぬか。実も是はおつしやる通リ。ふかふ御寵愛はいらぬ物。いや〳〵夫レは母御のかたい昔シ気。なんぼどふおつしやつても仲秋と思へ迚《とて》。送《おく》り給ひし此手飼《がい》。かはいがらいで置カ（33ウ）れうかと抱《だき》取リ給へば。

詞ハテかはゆくばかはいがつて。兼々《かねぐ》そふ心得ていさつしやれと。地ウ年寄リの後覚《こうがく》咄し必ハル悪《わる》ふ聞クまいウと。なさ
ぬ中にもむつまじく心隔《へだて》ぬ親と子の。中へウ出しやばる色犬島丹平。詞扨は姫君も仲秋殿の身持。放埒《はうらつ》をいまだ
御存なさそふな。神ンもつて私が中カ言トいふではなけれ共。マアたはいをお咄し申そ。子供も覚へた今川
の文章に。文ン道をしらずして。武道終《ぶだうつい》に勝利《しやうり》を得ざると書たる。父了俊の制詞《せいし》を背《そむい》て仲秋のやくたい。
地ウ学文をかこ付ケに都へ登リて九条通イ。ウ奥州といふ傾城《けいせい》を中受ケ出し。ウ延《のば》す程にける程にウ鼻毛《はなげ》をハル千本通リなる。
ウ下屋敷に傾城をかこふて色置クたはいなし。詞何とお肝《きも》がつぶるゝか。其不埒聟からきた猫をいや殿御の。花
聟のとてうらいこふじて。畜生《ちくしやう》に衣装《いしやう》を着《きせ》てかゝらぬ〳〵。地ウ此四つ足めは似合た（34オ）様にハル皮《かは》ひつぱぎ。
三味にウ張《はり》五尺いよ此手拭《てぬぐい》でもウ弾《ひく》方が能イ楽《たの》しみと。ウ握拳《にぎりこぶし》色ではり廻せば。ウ毛を逆様にハル耳を立。ウ爪をとぎ立飛
かゝり眉間《みけん》真向《まつかう》鼻ナ柱ラ。ウ猫にかゝれて犬島あいた〳〵。ゆるせ〳〵とフシ逃廻る折こそ有レ。
地ハル表使の色侍罷出。詞駿河ノ守定広公後室《こうしつ》様に御見ン参なり度キ迚。地ハル玄関《げんくはん》迄御出なりと色披露《ひらう》すれば。詞是は〳〵聟君

の伯父御《おぢご》。くるしからずこなたへと犬島出て御案内申せ。一ッ家《け》とは云ィながら婚《こん》礼もせぬ小蝶の前。対ィ面ンもいかゞ先ッ々奥へと紅葉打連出向ふ。

程もなく駿河ノ守定広。犬島が案内に長ヵ廊下《らうか》をのけぞりゐぼし。大紋の袖引繕《つくろ》ひ。一ト間へ通れば母後室。扨も〳〵お珍らしや。定広公には希《まれ》のおなり。先ン殿様御存生の折から。おめにかゝつて早幾年セ。遠く境《さかい》は隔テね共互に使者の通《つう》（34ウ）路計。先ッ々御ぶじでおめでたや。殊《こと》に此間は羽衣の失《うせ》しに付ヶ。仲秋殿にも御上京。おるすの中はお国の政道《せいとう》。諸事万事に伯父御様のお心遣《づか》ひ。されば〳〵お聞なされ兼て後室にもご存ジのごとく。代々今川家に預《あづかり》奉る。羽衣明神の御正体《しやうたい》を盗《ぬすみ》取ラれたも。もと仲秋か放埒《ほうらつ》から。是をいへば血で血を洗《あら》ふ甥《おい》子の恥。夫レ故に婚礼《こんれい》も遅《おそ》なはるが気の毒。夫レは各別《かくべつ》。今日定広が参つたは。後室へ蜜々《みつ〳〵》物語ル子細有リ。召シ使はしばしが内勝手《かつて》へ立テ。いや夫レはくるしからず。何事かは存ぜね共両人ながら譜代《ふだい》の者。少シも御遠慮《ゑんりよ》遊ばすな。然らばお咄し申さふと近ヵく寄リ。

詞過キつる比辻《つじ》相撲《ずもふ》を取ル男《おのこ》我にたより。某は浜名の後室が世倅《がれ》。牛五郎と申者と段々の物語の上。母御の館《やかた》へ立チ入たき願ィを聞て。打捨置《おか》レぬ（35オ）一ッ家の定広。殊《こと》に他門《たもん》へ洩《もら》さねば家の疵《きず》共成ルまいと存るから。何とぞ侍分ンに取立テて遣《つかは》されなば。地ウ後室にもウゆく〳〵ハルはよき色力ラと。思ふての御挨拶《あいさつ》。

詞是は扨何事かと存ンぜしにホ、、、思ひがけなきお物語。成ル程其牛五郎と申スは。わらはが此お館《やかた》へ参らぬ先キ儲《もう》し里の子。賤《いや》しう育《そだつ》て。人に上下のわかちの有ルも弁《わきま》へず。地ウ彼等《かれら》風情《ふぜい》が身の上を軽《かる》々しう定広公ハルへ。ウお頼申スは恐《おそれお、》ウ中多や憚《はゞかり》や。ウ御挨拶が重《おも》ければ早速《さつそく》我子に対面《たいめん》も致す筈《はづ》なれ共。ハル急にお請ウも申されぬ其子細《しさい》。ウ恥かしながら色聞ィてたべ。詞わらはが夫トは青砥《あをと》村にて僅《わづか》の商人《あきうど》。ならぬ世帯《せたい》を友かせぎ。憂《うき》かんなんはしたれ共。地ウ情ケなや大酒に身を持テ崩《くづ》せしハル放埒《はうらつ》。度々のウ異見《ゐけん》でも直《なを》らぬ夫の所存ンと見極《きは》め。ウ子は残し置離別《りべつ》して（35ウ）此館《やかた》へお湯殿色奉公。詞ふしぎと先殿様のお気に入リしは身の幸。姫君を大切ッにいとしぼがるを取リ得にて。賤《いやし》い此身を母君よ後室よと敬《うやま》はるゝ。ア、忝《かたじけ》なやわらはが尊敬《そんきやう》せらるゝも。皆殿様の御恩《おん》じや物と一日片時《へんし》も忘《わす》れず。夫レより一図《づ》にお家大事。姫君大事と主あしらいに守育《もりそだて》。今日の今迄も御恩《おん》と義理にからまれている此母が。真実《しんじつ》の産《うみ》の子迚館《とてやかた》へ引入らるべきか。殊《こと》には世上のさがなき口しぜん物の喰合《くい》セ。ちよつとお腹《なか》の痛《いたむ》にも。夫レ見よ継母が姫君に毒害《どくがい》したと云ハれては。生キても死ンでも自《みづから》か悪《あく》名《みやう》はすゝがれず。夫レを思へば我子と云ッ名を聞もうるさく。時折リは人伝《づて》に合力《かうりよく》を願《ねか》へ共。此母が袖の下から金銀を貢《みつい》では。お果《はて》なされし殿様のお目を掠《かすむ》るも同じ（36オ）事。送る物は手廻リの香包《かうづゝみ》か香箱計。香《か》も花もなき母の親が身の栄花《ゑいぐは》に。我子の事も思はぬかとおさげしみも恥かしさに。以前ンを忘れぬ自《みづから》が。此姿を見給へと上の一ト重《ゑ》を押シ脱《ぬげ》は。昔の所縁紫《かりむらさき》も所まだらに色さめし。針《はり》ぼうじやうの肌着《はだぎ》には。さすがの定広大口をあきれて詞もなかりける。

此賤《いやしい》姿をおめにかくるが則《すなはち》お返事。去リながら浜名の家を仲秋殿。相続《さうぞく》なされた其上は。馬取リか中間ンに引上て貰《もらふ》てやろと。此母が申シたと返す〳〵伝《つた》へてたべと。道を云義を立る詞に定広あぐみ果《はて》。ハテさふおつしやれば是非《ぜひ》に共申されぬが。年寄ッての楽《たの》しみは。我子と申せば今一チ応《おう》御思案《しあん》。あのおつしやる事はいの。姫君を守《もり》立テ。仲秋殿と御祝言ッさせますが此母が楽しみ。こりやきつい定広（36ウ）がてこでは動《うご》かぬ。したが必仲秋を当《あて》になされな。首尾《しゆび》能ッて国遠《こくゑん》か追放《ついはう》。去リながら拙者がこふしてゐる中は。両国の後見《こうけん》して。小蝶の前にも仲秋に勝《まさつ》た。器量《きりやう》の花聟あてがをふ。地ウ 少ッ共気遣ひせらるゝなと兼て ハル 心のもくろみを。ウ 示《しめし》合せし犬島丹平。色詞 ハア出来た面白い。駿河ノ守様の後《うしろ》見なれば。此お家は富士《ふじ》山のおもしより慥《たしか》々。ヲ、よい合点。最早《もはや》後室様お暇《いとま》申ス。返す〳〵定広を後見にお頼有。地ウ 家長久の基《もとい》ぞと ハル たべつ納《おさめ》つ ウ 犬島も。フシ 跡に従《したが》ひ立出る。

地ハル 母上といきを 中 ほつとつき。ウ ア、よしなき事を聞。ハル しばしが中もわらはが心を 色詞 苦《くる》しめし。お道理〳〵。どふやら底《そこ》に物の有ル定広の云分。同様に犬島迄仲秋様を譏《そしり》口チ。地ハル 姫君に申シたらお腹立を見る様な。中 ヲ、ウ 必さたするな ハル 自《みづから》も奥へいて。ウ 心の労《つかれ》ウ 休《やすめ》ん。紅葉（37オ）もこよと打連て ヲクリ 奥の。〽一ト間に入相の。

時早過キて。座敷〳〵にともす火の。影《かげ》もきらめく菊燈台《きくとうだい》。星《ほし》もめぶかき宵闇《よひやみ》に。庭ほのぐらく御寝所《しんじよ》の琴《こと》の音色《ねいろ》も植込《うへごみ》の。松に通ひてなまめかし。

から猫が妻乞《つまこひ》兼て泣は。やさしやしほらしや。猫さへも。妻故こがるに我身は。何とならの葉を。そよぐ物音ト風ならで。手飼《がい》の猫の綱手を放《はな》れ。恋に牡丹《ぼたん》のねむりも。さめて草のしげみを。ちよこ〳〵と。なくねをしたひくる紅葉《もみぢ》。窺《うかゞ》ひ見る共白書院《しろじよゐん》。障子《しやうじ》のすきより姫君の寝所《しんじよ》を。覗《のぞき》余《よ》念《ねん》なく。

ちゞにあこがれ身をもたへ。思ひこふだる執着《しうちやく》は。人にかはらず手飼《がい》の猫の。心も恋に濡椽《ぬれゑん》先キ花に乱るゝ手水鉢《てうづばち》。立よる所体《しよてい》も足取リも。あらすさましやもすそより。顕《あらは》れ出る二つの尾先《おさき》。まがふかたなき

猫魔《ねこまた》と人は。しらすや（37ウ）水鏡《かゞみ》。袖も小づまも。有リ〳〵と。写《うつ》す姿も取なりも猫とは。さらに水の面《おも》。衣紋繕《ゑもんつくろ》ふ。有リ様はぞつと身の毛も立やすらひ。見るより紅葉もこはげ立。両尾《りやうび》の猫の障碍《しやうげ》をなすを咄シに聞ケど今見始め。助ケては置れじと刀引提《さげ》妻戸のかげ。より赤よ。〳〵と呼声に。驚《おどろ》く猫も一

念ンさめて。庭の千種《ちくさ》に飛かふ虫を。たはむれ狂ふをだまし寄て切リ付れば。ひらりと飛で椽先キの。窓《まど》を蹴破《けやぶり》かけ入ルにぞ。なむ三宝仕損《そん》ぜしと。刀かい込路次《ろじ》口より紅葉も跡をしたひ行。

駿河守に示《しめし》合せし犬島丹平時分ンはよしと。前後に気配《くばり》立出しが。手引と見へて相図の拍子木。ひいふう右手の植込《うへこみ》より。塀《へい》を乗ッたか忍びと見へ。ほくそ頭巾に目計光ル大男。刀ぼつ込身かるに出立ぬつと出る。爰へ〳〵と木影に招《まね》き。犬島耳に（38オ）口を寄セ。あれこそは姫の寝所《しんじょ》。早まつて仕損《しそん》ずまい。合点〳〵ぬかりはせぬ。只一ト刀にぐつといはし。定広公の御本ン意《ゐ》を追ッ付とげる気遣ひあるなと。互にうなづき囁《さゝやき》合必首尾《しゅび》よふ〳〵と。別るれば忍びの男御寝所の椽の下タ壁《かべ》。切リ破《やぶ》り四つ這《ばい》にほう〳〵。へかしこに忍びゐる。

既に更ヶ行。遠寺《あんじ》の鐘《かね》。木草の嵐さつ〳〵と。夢驚《おどか》す時も有。伊予ノ介仲秋は案内もいらず只独《ひとり》。人めを忍ぶ通ひ路の若《もし》もや我をとがむかと。庭の飛石しほり戸のきり丶と鳴ルは風か。あらぬか誰レならんと。手《て》燭《しよく》かゝげて小蝶の前。寝所《しんじよ》の障子《しやうじ》そつと明《ヶ》互《ィ》に見合す顔と顔。ヤア仲秋様。ほんにおまへは仲秋様。こりやまあどふしてお越《こし》ぞや。日比逢《あひ》たいおかほが見たいの念《ン》願届《とゞき》。ふしぎにおめにかゝるのも神仏の引合せと。真実見へた（38ウ）る嬉し泣。

ヲヽ道理〳〵。其深切《しんせつ》を聞《ィ》たる故。蔵人を都に残《のこ》し帰りしぞや。ほんに夫《レ》なりや猶嬉しひ。此紅葉や妼《こしもと》共もなぜ御案《ン》内は申さぬぞ。互につもる事共はいざねて語《かた》ろとめでいはせ。恥《はづか》しいと嬉しひと心もそゞろに小蝶の前。ねやに伴《ともな》ふ新枕。一《チ》夜を千夜《ちよ》の楽《たの》しみと。抱《いだき》まつはれ伏給ふ。

時刻《じこく》はよしと椽《えん》の下《タ》なる忍びの男。姫の臥所《ふしど》の高ねだ櫪《しきいた》のはづれより。ぐつと返す刀の切《ッ》先《キ》手ごたへして。朱《あけ》にそみてぞ顕《あら》はれける。音《ト》に驚き姫君此体《てい》を見るよりも。是我夫〳〵とよべどさけべど息《いき》たへて。こたへなければのふ悲しや。何者共しらず仲秋様を殺《ころ》した。出あへ〳〵と呼はり給ふ。声に驚き母上紅葉諸共かけ出給へば。館《やかた》の家中騒《さはぎ》立。手でに挑灯星《てうちんほし》のごとくにかゝやかせり。

紅葉長刀かいこふで。姫君の御寝所《しんしよ》（39オ）へ狼藉者《らうぜき》が入たるぞ。門々かためて取逃《にが》すなと下知をなし。寝ン所にかけ入リ死骸《しがい》の蒲団《ふとん》。引退《のけ》見れば姫君の手飼《がい》の猫。椽《えん》の下より貫《つらぬ》かれ。朱《あけ》に成ッてのたれふす。コハ〳〵いかにと人々も驚き。入たる計也。

扨は最前《さいぜん》此小蝶が。とろ〳〵とまどろむ中。仲秋様のおめにかゝりお顔も姿もまざ〳〵と。今見る様に詞をかはし。寝ン所へ伴ひ参らせしを。現《うつゝ》の様に覚へしが。此猫の殺されたを仲秋様と思ふたは。ふしぎ〳〵との給へば。サア其ふしぎの因縁《いんゑん》をしつたるは此紅葉。先キ程御前のお夜詰《よつめ》引。廊下《らうか》を通り合せしに。あの手飼か手水鉢《てうづばち》で水鏡《かゞみ》見る取リなりは。みぢんも人にかはらず。さつする所姫君の御寵愛《てうあい》に付上り。障碍《しやうげ》をなして殺されたは願ふてもない猫魔退治《またたいぢ》。とかくせんぎは其殺《ころして》人。お寝間の下タ（39ウ）に狼藉《らうぜき》者忍び居るに極つたり。かり出さんとかい〴〵敷ク。畳《たゝみ》引キ上ケ長刀の石づきにて。ねだの榁《しきいた》こち放《はな》せば。遁《のが》るゝ方タなく忍びの男。刀打チ振《ふり》飛出るは案《あん》に相違《さうゐ》の其骨柄《こつから》。独リ相撲《すまふ》のあら虎が。振リ乱《みだ》す大前髪はくはせ者とぞ見へにける。
扨こそ知レ者遁《のが》さじと紅葉長刀追ッ取のべ。切てかゝれば身をひらき。先ッ待テ女いふ事有リ。待テとは比興《ひけう》
と裾《すそ》を払《はら》へば飛上り。れうじするな早まるなといへと耳にも聞入レず。無二無三に切かゝるを身をかはし
かいくゞり。長刀の柄《ゑ》をしつかと取リ。汝らが五人十人かゝれば迚《とて》高が女。我片腕《かたうで》にもたらね共所存ン有ッ
て相手にならぬと。長刀もぎ取どつかと座し。身共はあれ成ル後室の里の子牛五郎と聞もあへず母上。ず
か〳〵と寄《よつ》てたぶさ引上顔打チ守り。扨こそ〳〵（40オ）稚《おさな》顔見知リ有。儕レは我子の牛五郎。母者人面目
もござらぬと畳にひれ伏うづくまる。
エ、情ケなやヤイ世倅《せがれ》め。けふといふけふ一ッ時に母が心をむそくさせ。此館《やかた》へ入込ンで大それた事仕《し》出す
身が。面ン目ないとは偽《いつはり》者。察《さつ》する所定広に頼ンだる儕レが身の上。聞入レぬ恨《うらみ》に是へ忍び入ッたるは。母
殺《ころす》気か姫殺すのか。よもや儕レ独リが工《たくみ》とは思はれぬ。方人《かたうど》が有ラば有ルといへ。仮《たとへ》いはふが云フまいが。金《こん》

輪《りん》ならくの底《そこ》迄も有リ様に白状さす。夫レ々紅葉。水責《ぜめ》の地ウ用意《ようい》させいとハルあら男を。取て引ッぷせ責付ケ色給へば。

ウ武家の権威《けんゐ》に気を呑《のま》れ。ハル詞しどろに色声ふるひ。

詞成ル程母者人《は、じゃ》のいはしやる通り。おれが心一つて功《たくん》だ事ではなけれ共。父親《て、おや》に離《はな》れてから。身にも応《おう》ぜぬ力ラ業《わざ》や武芸《ぶげい》を好《すい》て身ン体（40ウ）をたゝみ上ケ。生れ古郷《こきやう》の青砥《あをと》村にも得《ゑ》住《すま》ず。方々をるらう仕歩行《しあるく》中。身はうすふ成ッてくる。おのれ土に付クまいと心で思ふた計リ。骸《からだ》に付イた物迚《とて》は晴着《はれき》にもどてらにも。産《うみ》付ケて囉《もら》ふた裸《はたか》身一ッてんしやうことなさの辻相撲《すまふ》。よふ土に付クまいぞ。毎日〳〵起《おき》たりこけたり砂《すな》まぶれ。地ウ身の油をしぼつても高のしれたつまみ銭。是でもいかぬとつつおいつ分別《ふんべつ》ハルのどうぶくら。駿河ノ守定広殿に色身の上を咄したれば。詞浜名の家督《かとく》知ル者はそちならで外カにない。邪魔《じやま》に成は小蝶の前。兼々犬島と示《しめし》置ケば。今ン夜館《やかた》に忍《しの》ひ入リ姫を殺《ころ》せば。仲秋共縁切レて遠江《とを〳〵み》一ッ国は汝が物。地ウ真実《しんじつ》の子に家国を譲《ゆづ》らば後室も悦び。方人は駿河ノ守と味《うま》ふ云ッてハルすゝめられ。ふはと乗たも若気《わかげ》の至《いた》り貧《ひん》からのでき心。（41オ）

何事も母者人御免〳〵と泣わぶる。胸つくしをしつかと取ﾘ。エヽ聞ば聞程憎や〳〵。儕ﾚが今云フ事に人らしい事一つもない。定広にすゝめられたと云ヒ訳わけかましうぬかせ共。此悪事に組したは儕ﾚが心のひがみから。母殺す功たくみといはゞまだ赦免ゆうめんもならふが。姫を殺す所存しよそんと聞てはとふも生ヶては帰されぬと。長刀なきなたおつ取立上ﾁ上るを。姫君あはてすがり付キ待ッ先待ッてたべ母様。姫を殺す所存と聞てはとふも生ヶては帰されぬと。姫君あはてすがり付キ先待ッてたべ母様。血を分ね共自みづからが為にも兄上。あだに思はふ様もなし。殊に誤りなされた上はもふ御堪忍かんにん遊ばせと。手を合せ詫給ふ。其手を取て押シいたゝき。勿体たいなやしほらしや。わらはが以前の子と聞て賤い者を兄上と。侘してやつて下さるゝ其真実しんじつな心ねが。嬉しふござると手を合せ。伏拝ふしおがみ〳〵涙に。むせび給ひしが。

今のを聞たか業こう人め。儕ﾚは姫を殺す気。姫君は又行衛ゆくゑ（41ウ）も知ﾚぬ儕ﾚを兄と敬ひ。手を合せて詫さつしやる其心を思ひやれ。なんぼ賤しう生れた迚とて夫ﾚ程心の違ちがふ物か。見るも中々腹立やと。傍そばに有ﾘ合ッつしやる其心を思ひやれ。なんぽ賤しう生れた迚夫ﾚ程心の違ふ物か。見るも中々腹立やと。傍に有ﾘ合ッ弓おつ取。はつし〳〵となくり立。此母かほそ腕うてでは儕ﾚはたゝき殺されぬ。此弓に焼刃やきばが有ﾗばづた〳〵

に刻《きざま》ふに。儕レを殺す刀も有レど弓で擲《たゝき》殺そと。云ッ親のじひ思ひ知リおれと。弓をからりと投《なげ》捨て。目にせぐりくる涙をば泣カぬ顔する母上の。心の中を思ひやりげに御道理《だうり》断《ことはり》と。姫君紅葉も諸共に袂を。ひたす計也。

牛五郎むつくと起《おき》。ア、誤つた母人。今迄は義理も法も弁《わきま》へず。欲《よく》に計リ眼《まなこ》がくれ。どうよくな母邪見《じやけん》な親と一図《つ》に恨《うらみ》。悪と知ッて組《くみ》せしか。今の詞を聞に付上に立身の了簡《うけん》と下《した》に住身の心のひづみ。其程々の顕《あらは》れて。皆の（42オ）手前も面目《めんぼく》ない恥しい。今日の只今某が非《ひ》を改《あた》め。本ンの心に立帰る所存《しよぞん》一ッ決《けつ》したれ共。口で計リ申シてはよも誠《まこと》にはなさるまし。今夜八つを相図《あいつ》に駿河ノ守定広。姫君の首受ケ取リに此館へ忍び入。従《したが》はぬ家中《かちう》原を夜討にせんとの企《くはだて》。きやつらが来らば某が誠の心を見せ申さん。其時は姫君母へ詫《わび》事申てたへと。いさめは母も涙ながら。フウどふやらこふやら人間らしい事まだよふ云フた。したが口では云ィよい物。其ひがんだ根性《こんしやう》で誠の心底《しんてい》見せふとは。中々わらはゝ呑込《のみこま》ぬと。気にはり持タすも肉身《にくしん》を分ヶていはれぬ親のじひ。心を察《さつ》し小蝶の前。兄上今のお詞を悪《わる》ふお聞遊ばすな。母様の疑《うたが》ひをはらすはお前の手柄《てから》次第。ヲ、夫レ々。其上は姫君諸共寄ッてか丶つて平侘《わび》と。力を付てかい〴〵敷紅葉（42ウ）も一腰かい込ンて。先ッ々一ト間へ〳〵と。御両所を伴《ともな》ひ参らせ忍んで。〽事を窺《うかゞ》ひゐる

既《すで》に相図《あいづ》の。時刻《じこく》も近ヵ付キ駿河ノ守定広。詰《つま》り〳〵に家来を残し。犬島が案内にて大庭にかけ来り。首尾《しゆび》はどふじや牛五郎。気遣《きづかい》有ルな上首尾〳〵。手柄《てから》の程おめに懸《かけ》ふと。寝ン所にかけ入リ血にそまる。小袖かい込飛ンで出。小蝶の前が首是見られよと。二人が前に指出せば。手柄〳〵と犬島丹平。昨日《きのふ》迄もけさ迄もお乳やめのとにかしづかれ。あらい風にも当《あて》ぬ姫。いとしや首になられたとたはむれながら血にそまる。小袖ひらけばこはいかに。首にはあらで手飼《かい》の猫こりやどふじやと。驚《おどろ》けば牛五郎。慥《たしか》に姫が首切たに。是はふしきと立寄ルふりして犬島が。そつ首つかんで捻《ねぢ》付れば駿河守。ヤア血迷《ちまよ》ふたか牛五郎。（43オ）扨は儕レ二心と。切てか丶るを引はつし。き丶腕《うで》取ッてびつく共働《うごか》さず。うぬらに迷《まよ》ふて姫君殺すを殺さなん

だも猫のかげ。うぬらをはめたも猫のかげ。鼠嫌《ぎら》ひの家筋へ忠義の手始《はじ》め是見よと。定広が腕捻《ねぢ》上ヶ。引かづきもんどりうたせ。起《おき》上る犬島がせぼねにぐつと乗ッかゝり。主君に敵たふ人畜《にんちく》天罰《ばつ》の程思ひしれと。猫とならべ犬島が。首ふつつと引抜ヶは。透《すき》を窺《うかゞ》ひ駿河ノ守ほう〳〵逃《にげ》て立帰る。人々奥より走《はし》り出手柄《てがら》〳〵兄上と。あふぎ立れは牛五郎。此次手に定広もぶち殺《ころさ》んと存ンぜしかど。仲秋公の御所存をはかつてわざと助ヶかへしたり。ヲ、それはよいお心付キ先ッは敵とひとつでない。お心も見へ母様も。大方御得心《とくしん》なされた上は。誰レ憚《はゝか》らずお小袖も召シかへ。おまへの生れ（43ウ）古郷《こきやう》なれば。青砥《と》と名乗ッて武士となり。母様への御孝行。早速《さつそく》ながら此小蝶が兄様へお願ィ。御覧《らん》の通り是なる紅葉は家に久敷キ譜代の者。お気にいらすとわらはか仲人。夫婦となつて仲秋様のお力共なつてたべ。夫レ々紅葉お召シがへ。早ふ〳〵と一ト間より。用意《ようゐ》の小袖携《たづさ》へ出昔のもめん引かへて。上ハ着《ぎ》中着のさやちりめん手ンてにむすぶ上下の。紐《ひも》もゑにしもながゝれと妹背《いもせ》のかためも手覚《おぼ》への。刀 脇指《かたなわきざし》さしぶり迄天晴《あつぱれ》武士のきつすいと。姫の悦び母上も。エ、儕レ仕合セ者。姫君の侘《わび》にめんじ此度は赦《ゆる》せ共。親子一ッ所に館《やかた》には叶はぬ。只今より仲秋殿に御奉公申シて必忠義を忘るゝなと。義をはげまする慈愛《じあい》の詞扨こそ今川仲秋の。股肱《こかう》の臣と（44オ）呼《よば》れたる。青砥《あをと》五郎藤次とは此若者の事也けり。

ア、嬉や悦ばしや是も偏《ひとへ》に姫君母の御情ケと。伏拝《ふしおがみ》〳〵此御恩《おん》を報《ほう》ぜんには。仮《たとへ》ば定広逆《ぎやくゐ》意に募《つのり》近江に佐々木浅井《あざい》の一党《たう》。美濃《みの》に大館《だち》伊勢の国司《こくし》北畠《ばたけ》。伊賀に金森《かなもり》越前に朝倉《あさくら》。甲斐《かい》に武田《たけだ》相模《さがみ》に根越《ねごし》。信濃《しなの》源氏武蔵《む》の七党《とう》八平氏。東国勢を駆催《かりもよほ》し駿河の居城《きよじやう》に籠《こも》る共。某一人馳《はせ》向ひ責《せめ》付ケ。責入駿河の守を捕《とりこ》として。我命のつゞかんたけは天をかけり地をくゞり。羽衣を尋出し仲秋公の汚名《おめい》を清め。二タ度御代に翻《ひるがへ》さんといさみすゝみし有リ様は。武勇《ぶゆう》備《そなは》り威《ゐ》も備り相撲《すまふ》取リより知行取リ。名を取リ誉《ほまれ》取々に其名を普輝《あまねくかゝやか》す。時に青砥が奉公始メ。手柄《てから》始メ立ッ身始メと武名を。永《なが》く伝《つた》へける（44ウ）

第三

其非《ひ》を糾《たゞし》て事発《あらはる》る者は。法によつて是を断割《だんかつ》し。事いまだ発ざる者は審《つまびらか》に是を察《さつ》すとかや。征夷《せいゐ》将軍《だいしやうぐん》源ノ義政公《よしまさこう》。足利《あしかゞ》の武勇《ぶゆう》を伝《つた》へ帝都《ていと》の守護《しゆご》怠《おこたり》なく。猶も非常《ひじやう》をいましめんと室《むろ》町の北殿に。執事《しつし》山名弾正少弼《だんじやうしやうひつ》を差《さし》置ィて。民の訴《うつた》へ公事《くじ》裁判《さいばん》私のはからひなく。道の道たる決断所《けつだんしよ》兵具《ひやうぐ》ひつしとかけならべ。執筆《しゆひつ》取リ次キ左右《さゆう》に着座《ちやくざ》し庭にならぶる責《せめ》道具。拷問捕手《がうもんとりて》の諸役人眼《まなこ》をくばつてひかへしは。事厳《げん》重《ぢう》に見へにける。

昵近《ぢつきん》の侍綴喜《つゞき》監物《けんもつ》御前に進《すゝみ》出。今日今川仲秋召出さるゝ所。病気によつて家来荒川蔵人。名代《めうだい》としてお次迄参上。奴《きやつ》は聞ふる鳴呼《おこ》の者。弁舌《べんぜつ》（45オ）を以ッて申ひらかんは治定《ぢじやう》。御詮義《せんぎ》の筋心元トなしいかゞ思し召るゝと気の毒顔に窺《うかゞ》へば。弾正ほく〳〵打うなづき。ホヽウ子細云ハねば気遣イ尤。兼て汝もしる通り。天子より御預リの神宝紛失《ふんじつ》に付キ。再《さい》三ン日延の願ひ。先キ達ッて上聞に達し置ケ共。今日呼出すは仲秋が遊興《ゆうけう》奢《おごり》。不行跡《かうせき》の筋を糺《たゞ》し宝の詮義も。彼《かれ》一人ンが科《とが》に取ッて落せばおのづ。から彼《かの》傾城も身が手に入リ。元トより今川の家国は先キ達ッて駿河守に押領《おうれう》さするといへ共。跡腹やまぬ工面《くめん》は兼て拵《こしら》へ置イたり。ちつ共気遣ふ事なかれ詮義のつまりはコリヤかふ〳〵と。主従《しうぐ》とつくとしめし合せ。夫レ召シ出せと有ければ。畏《かしこまつ》て呼次クにぞ。

はつと答《こた》へて立出る荒川蔵人近平《ちかひら》。主人の名代晴《はれ》がましく。袴《はかま》かたぎぬ大小もさすが名におふ今川の。執《しつ》権職《けんしよく》といちじるき（45ウ）器《き》量《りやう》骨柄《こつがら》ゆゝしげに。御前間近カく謹《つゝしん》で。今日主人仲秋召出さるゝ所。夜前より風邪《ふうじや》に犯《おか》され一ッ向《かう》枕あがらず。名代の為参上と云せも立ず。綴喜《つゞき》監物《けんもつ》つつと寄。ヤア尾籠《びろう》なり蔵人。大切ッ成ル神ン宝を失《うしな》へば今川の家は断絶《だんぜつ》。仲秋が武士道は捨《すた》つたり。武士道立タねば町人同前。執事《しつし》の御前間近ヵく慮外《りよぐはい》千ン万。大小渡し白洲へさがれと。時の権威《けんゐ》はぜひもなく。無念ながらも主人の為。二腰《こし》投出し悠々《ゆう〳〵》とわるびれたる風情もなく。白洲《しらす》へさがり両手をつき。先キ達ッて御願ひ申上る通り。羽衣の神ン宝紛失《ふんじつ》は則《すなはち》家督《かとく》継キ目の砌《みぎり》。御存ンのごとく宝蔵の戸前。秘封《ひふう》も相違《さうゐ》なく。遙《はるか》脇より地を堀《ほつ》て忍び入リ奪《うばひ》取リしは。察《さつ》する所家に望《のぞみ》をかくる佞人《ねいじん》。年ン々に深《ふか》き功《たくみ》と見へたれば。了俊存生《ぞんしやう》の内より紛失《ふんじつ》（46オ）もはかられず。さあれば決《けつし》て仲秋が越度《おちど》共定めかたし。此上の御憐愍《れんみん》十三月の上に今十三ケ月の間。日延御赦免《しやめん》下されなば。命かけて捜《さがし》出し仲秋が汚名《おめい》を雪《きよ》め。家相続《さうぞく》仕らん憚《はゞか》りながら此趣。宜しく御推挙《すいきよ》希《こいねが》ひ奉ると恐れ。入て相述《のぶ》れば。

ゑしやくもなく弾正。ヤア其云ィ訳闇《わけくら》いく〳〵。元ン来仲秋今川の家を知ルべき者ならず。色にふけり酒に長《ちやう》じ奢《おごり》を極る不行跡《かうせき》。しるまいと思ふか。先キ達ッて九条の奥州と云フ傾城《けいせい》。千五百両の金子を以ッて請出し。千本通リに花麗《くはれい》の住家《ぢうか》を構《かまへ》差置ク事明ィ白。察する所彼羽衣の神ン宝も。奪《ばい》取ラれしとは偽り。傾城受ヶ出す身の価《あたい》に質物にかな入レたで有ロふ。地ウ其ばか者に付そふ蔵人。ハル異見《ゐけん》はせずして共に狂ふ一トつ穴ののら狐《ぎつね》。ウ表裏《ひやうり》を以ッて云ィ掠《かすめ》んとは色愚《おろか》々。ウ返答有ラばいへ聞カんさ色あなん（46ウ）と〳〵。詞こは存シ寄ラぬ御仰。主人仲秋若年《じやくねん》の比より儒学《じゆがく》を好《すき》。昼夜《ちうや》書物に眼をさらし。仮初《かりそめ》の慰《なぐさみ》にも遊芸《ゆうげい》をだに好《このま》ざれば。傾城を請ヶ出せしなと丶は跡形もなき偽《いつは》り。そりや先ッ何者が申上ヶしな。ホ、ウ其証拠《しやうこ》をとらへずして。うかつに云ィ出す弾正ならず。コリヤ〳〵監物。最前《さいぜん》の奴《やつ》ら是へ呼出せ。地色畏《かしこまつ》てハル椽先キに立色出。詞くるはの者共残らす参れ出ませいと。地色ハル呼《よば》はる声に立出る引舟禿《かぶろ》遣手《やりて》花車《くはしや》。ウ座頭《ざとう》牽頭《たいこ》の一ト連《つれ》も終に見馴《なれ》ぬ決断所《けつだん》。ウ役人の取リ縄《なは》に底《そこ》ぎみ悪《わる》く胴《どう》ぶるひ。ウとかく身晴《ばれ》は面ン々しがち。ウ云ッてよいやらフシ悪ィやら中訳《わけ》も白洲《しらす》にハル畏《かしこま》る。

詞コリヤ〳〵汝ら最前も此監物が云ッ通り。御詮義の筋は仲秋が身の上。存じた通り真直《まつすぐ》に申シ上ヶい。少でも偽《いつはる》においては。縄目にあはふも。又は手がねをくれふもしれぬと。地ハル権威《けんゐ》で（47オ）おどせは先キ色成ル男。

詞ヤ申シ々手がねをやらふとおつしやるは一ぱい呑メでござりますか。そりや忝いこつちの商売《しやうばい》。私めは三筋町に隠《かく》れもない。鬼口《おにぐち》の又八と申ス牽頭持《たいこ》チ。ヤついかふ計お聞なされては。小すさましい名字故人様でも取て噛《かむ》かと思召ふが。そんなこつちやござりませぬ。生得《しやうとく》我らが癖《くせ》として御客《きやく》方の傍《そば》へ出ると。指《ゆび》の胯《また》をトはちかゝせ。旦那くはつ〳〵と申スから。へ、、夫レで鬼口の又八と申まする。コリヤ〳〵儕レが身の上は問《とは》ぬ。御せんさくの筋計リ早く申シ上ケおらふ。

サアいふまいじやござりませぬ。慮外ながら此又八天地《あめつち》ひらけ初つて。里通ひなさるゝお客に召出されぬ事もないが。ほんに仲様のやうな捌《さばけ》たお方は。千人に一ト人リもア、きびしゝに牡丹《ぼたん》。古《ふる》ふござりますか。サア其古イ口合でも大やうに聞せらるゝが大名形気《かたぎ》。御器量《きりやう》よふて発（47ウ）明《めい》で。物下さるがお好キで。情ケふかふて御器用《きよう》で。どつこに一トつ云分ンのない生粋《きつすい》大尽《じん》。奥州様が打込ンで。ひつたり吸《すい》付キ放《はな》ぬは。蛸薬師《たこやくし》の化身《けしん》かと人の不審《しん》も尤。何が牛角《ごかく》の色盛りちよと御出も一ツ対《つい》の。銀のきせるは我らか腰《こし》ざし。

地色ハル　中　合ウ　サハリハル　合ウ　ウ中

麝香《じやかう》たばこに御駕をくゆらせ。おせ〳〵合点じやゑいさつさ。さつさ。嵯峨野《さがの》の冬気色。雪見と聞イて夫レそこへ。〔合詞〕くるは〳〵と道くだりの水茶や迄くんじゆをなしてもいや〳〵。〔地ウ〕物見たけがり紅葉のさかり。
一ト入詠《しほなが》めは〔ハル〕秋の月。〔詞〕広沢へお供すりや跡からくるはのお見廻イとて。追々に折提重《おりさげぢう》。ソレ又八一トつのめ。
おつと心得たぶ〳〵〳〵。ぐつとほして上ケますするか。テモ見事。ヤ最《も》一トつせいと旦那のお詞。此盃をか
ねになぞらへ。チンチ、ツトンツテツトツト。ついと呑メばばら〳〵。山吹色の抓《つかみ》取リ。扨《ツ》も忝け。〔サハリ〕
〔中ウ〕夏の夜は〔ウ〕四条川原の（48オ）涼床《すゝみどこ》。〔詞〕八畳敷キの毛氈に往来《ゆきゝ》の人の目をさまさせ。春は清水知恩院《ちおんゐん》。八坂祇《ぎ》
園《おん》に幕《まく》打タせ。〔サハリ〕花のさかりは。〔ハル〕二軒《けん》茶やの〔ウ〕色くらべ。〔詞〕ヤとの女中とくらべても。太夫主《す》を押スやうな扨器《き》
量《りやう》もない物。仲秋の御自慢《じまん》もお道理かい。
こりやいく〳〵そりや何のたは言。此蔵人が主人は大名。邂逅《たまさか》の御遊興《ゆうけう》はソリヤ有リ内さ。シテ夫レか身
持チ放埒《ほうらつ》か。イヤサ過分ンの奢《おごり》か但傾城請出シたと云フ証拠《しやうこ》に成ルか。なる共〳〵。まあ奢《おごり》と申スは手生ケの芸《げい》
者《しや》一チ座の女郎。引舟禿に至る迄揃への衣裳《ゐしやう》を下された。まだ近カい証拠は。仲様の京上り出向ひの為。奥

州様の御供して山科《しな》できやうといさはぎ。ヤ騒《さはぎ》の次手《ついで》にどめつさうなあばれ者がうせおつてナ。無理無体《むりむたい》に太夫主《す》を色取リくさる。其憎《にく》さ扨迷惑致しました。ハア、ヤ其時の（48ウ）わる者めが頬《つら》がまち。眼《まなこ》付キなら髭《ひげ》のかゝり。アノ殿様のお顔にテモよふ似た事はいの。若シ覚へはござりませぬかといはれて地色ハル弾正胸にきつくり。ウ返答《へんとう》もなくうぢ〳〵と座にたまられぬ迷惑顔《めいはく》。ウ監物ちやくと引取ッて。色ヤアこいつ詞取リ所もない大たはけ。地ウごくにも立タぬ口たゝき却《かへつ》て詮義のハル邪魔《じやま》ひろぐ。ウすつ込ンでけつかれとさしも名代《なだい》の鬼口も。

ウ一トロにやり込メられフシ手持チぶさたに引さがれば。

地色跡からウこらへぬ座頭《ざとう》のハル坊申上ケんと色さぐり出。詞私は耳都《みゝいち》と申て。則《すなはち》太夫奥州様に琴《こと》三味を教《おし》へた。お師《し》匠《せう》様でござります。去ルによつて仲様もお心安さ。しぜん天然《ねん》わしが弟子分ン。或《あるひ》は碪《きぬた》の地を遊ばし。チリ〳〵〳〵〳〵。はやり歌の連弾《つれびき》も。あふて見たれば金持チそふな男しやと。わしや見てほれた。

半中夫レがハルいやなら大イ気には生れ付ぬがよいはいな。

詞
ヤアだ（49オ）まりおらふ。儕レ最前《さいぜん》から此蔵人が返答《へんとう》何ンと聞ク。主人は学問《がくもん》のみお好《このみ》なされ。遊芸《ゆうげい》はお嫌《きら》ひ。その遊芸《ゆうけい》を嗜《たしなむ》やから。お傍《そば》近カふめされた事はないはい。ム、扨はこりや人違《たが》ひじやな。但《たゞし》又放《ほう》埒《らつ》者を身が主人。仲秋と云フ目《め》当証拠《あてしやうこ》が有ッてぬかすか。ヤこりやけしからぬ御無体《むたい》。目当証拠を見届《とゞけ》るマア目がござりませぬ。夫レでお客《きやく》はどなたでも、目はあなたから下タさります。何ンぼどふやりこめさしやましても。此耳《み、》と云フ奴《やつ》がよふしつておりますてい。サア其知ッた証拠《しやうこ》ぬかせ。申ませふ共。ハア、いつやら。ヲ、夫レよ。去年ン二月末つかた御下モ屋敷は桃《も、》のさかり。花嫁御がいらせらるゝと。俄《にはか》に座敷のはき掃除《さうぢ》料理《りやうり》拵《こしら》へ。上を下タどしめく中カへ此耳都《み、いち》も呼出され。能ク々聞ケば奥州様を根引のさた。いかさま全盛《ぜんせい》の（49ウ）太夫主《す》程有ッてずつしりとした見請ケ金。千五百両御渡しなされた。闇《やみ》に礫《つふて》の音トとは違《ちが》ふて心地よい小判《ばん》の音ト。此耳都《み、いち》が慥《たしか》に聞たが。何とこりや証拠《しやうこ》に成まいかな。
ハ、、、、汝等がちいさい心にひきくらべ。千五百両の金子を過分ンの事と思ふは断。コリヤヤイ大名の御用金何万ン両でも。時の間に差《さし》上クる為兼て諸方に用人ンを扶持《ふち》せらる丶。うぬが今いふ其金は。いかにも去年二月の末。則《すなはち》当地の町人方タへ返済《へんさい》したは此蔵人。其座におつて聞ながら傾城身請の金など丶は。出ほうだいな作言《つくりこと》。ム、こりや何者にか頼れたな。いはせてがなくて叶《かな》はぬ。水くらはしても詮義《せんぎ》する奴《やつ》なれ共。地色ウ 今は赦《ゆる》す ハル すさりおらふときめ付られてコリ 色 ヤたまらぬ。詞 今になをらぬかんしやくの。虫をしづめて サハリ 下さんせ。

詞 ヤア弾（50オ）正が前共憚らず何大ばか。地ハル すつこんでおろふとしかり 色 付ケ。詞 コリヤヤイ花車《くはしや》め夫レへ出おらふ。コリヤ此三味線《しやみせん》は弥《いよ》〱仲秋に貰《もら》つたな。アイ夫レは則チ身請の節《せつ》。置土産《おきみやげ》と有ッて下されし比翼《ひよく》の三味とて。廓《くるは》中に名高い道具。其儘《まゝ》置カば後日のお咎《とがめ》恐《おそ》ろしく。先キ達ッて指上しと 地色ウ 花車が身晴《ばれ》の詞に乗ッて。ハル 引キ舟禿《かぶろ》遣《やり》手も跡からつつかけ〱。ウ 夫レに違《ちが》ひも仲様と太夫様の諸訳《わけ》なら。ウ わしらが証《しやうこ》拠と口チ々に 色 云イ立れば 詞 ヤアかしましい。最早《もはや》何にも聞クに及ばぬ。コレ見たか蔵人。二つ紋の三味線。桐《きり》の薹《とう》は今川の家の紋。源氏車は傾城が定紋《ちやうもん》。比翼《ひよく》の三味とはいやらしい。是が一ッ国の大名仲秋共いはるゝ者が有ふ事か。ハレ珍《めづ》らしい置土産《おきみやげ》。イヤ結構《けつかう》な三味線のと。鼻《はな》の先キへ指《さし》付ケ突《つき》付ケ。サア是ても返答《へんとう》有か。イヤ（50ウ）夫レは。サア何ンと〳〵。詰《つめ》かけられて云ィ訳《わけ》は。とやせんかくやとうろ〳〵きよろ〳〵身をもみ心を砕《くだ》け共。眼前《がんぜん》の証跡《しやうぜき》を云ィほぐさん方便《てだて》もなく。はつと赤面差《せきめんさし》うつむきしばし。詞もなかりけり。

ホ、ウ其筈《はつ》〳〵。身の誤《あやま》りを返《かへ》り見ず。剰《あまつさへ》様々の謀計《ばうけい》を以ッて上を掠《かすむ》る重罪遁《ぢうざいのがれ》は有ルまい拷問《がうもん》して宝の有リ所白状させん。ソレ家来共打すへて引ッくゝれ。はつと一チ度に十手《じつて》ふり上双方《さうはう》より打かくる。腕《うで》首抓《つか》んでぐつとねぢ上ケ弓手《ゆんで》妻手《めて》へ投《なげ》付クれば。又ばら〳〵と立かゝるハア、待ッた〳〵。拷問《がうもん》は愚《おろか》一チ命を召るゝ共宝の有リ所は存ンぜね共。傾城身請ケの義に付ィて一通り申シ上ケ度子細有リ。先ッ々彼《かれ》らを御帰し下さるべしと残らず立せ近カく指シ寄リ。されば此義は。他門は勿論《もちろん》一家中にも深《ふか》く慎《つゝし》む密事《みつじ》なれ共。かく手詰《ちづめ》と成ッた（51オ）れば是非《ぜひ》に及ばず申上ん。彼《かの》傾城奥州と申ス。誠《まこと》は亡君《ばうくん》了俊が種《たね》にて。則チ仲秋とは腹がはりの兄弟。ヤア〳〵なんといふ。

イヤ傾城奥州義は仲秋が妹《いもうと》に紛《まぎれ》なし。サア世話《せは》にも申スごとく水の流レと人の行末。しらぬ内はぜひもなし。妾《てかけ》腹の姫君と委《い》細《さい》慥《たしか》に承るより。早速《さつそく》請ケ出し館へ迎《むかへ》奉ッらんと存ぜしがいや〳〵。里にしられし奥州と云フ傾城こそ。今川了俊の息女《そくぢよ》。仲秋が妹也と取リざた有ッては末代迄家名の疵《きず》。いかゞはせんととつおいつ思案《しあん》を廻らし。若殿に云含《ふく》め世上は若気の身持放埒《ほうらつ》。遊興《ゆうけう》は奢《おごり》の体《てい》に饗《もてな》し。千五百両の金子を以ッて請出せしは。此蔵人が計《はから》ひ。月日に雲の覆《おほふ》がごとく。家の恥辱《ちじよく》を除《のぞか》ん為科《とが》なき御身を過分ンの奢《おごり》。放埒者と世の雑口《ぞうくち》にかけさせし某が心の苦《くる》しさ。（51ウ）御推量《すいりやう》下タさるべし。且ッ又三味線の二つ紋。桐の臺《とう》は家の定紋。もと今川は源氏の末流《ばつりう》たるにより。則チ氏をかた取リ源氏車を以ッてかへ紋となさるれば。三味線に限《かぎ》らず衣類《ゐるい》諸道具等にも。数多《あまた》有ル事一ッ国に隠《かく》れなし。彼《かれ》是以ッて仲秋が不行跡《かうせき》に候はず。御不審晴《しんはら》され下さるべしと指当《さしあた》つたる主人の難儀《なんぎ》。救《すく》はん為の表理《ひやうり》計略《けいりやく》一言《ごん》一ッ句も淀《よとみ》なく。弁舌《べんぜつ》さつぱり立テ板に水を流する荒川が。忠義の程ぞ類《たぐ》ひなき。弾正面《おもて》をやはらげ。ホ、ウ委細《いさい》聞ィて驚《おどろき》入ル。世上を憚《はゞか》る忠心ン神妙《しんべう》〳〵。スリヤ弥《いよ〳〵》傾城奥州は仲秋が妹に極つたな。御念ンに及ばず其証人《しやうにん》はいつ迄も此蔵人。ホ、ウ夫レ聞たで落付ィた。何を隠《かく》そふ此弾正。奥州廓《くるは》に有ル時分《じぶん》夜毎《ごと》に通ひくどけ共。中々承引《せうゐん》せざりしをよく〳〵聞ケば仲秋と訳《わけ》有ルよし。剰《あまつさ》へ（52オ）請出し千本ン通リに指《さし》置クと聞弥《いよ〳〵》残ン念ン。今兄弟と有ルからは是願ふ所。早速貰《さつそくもら》ふて婦妻《ふさい》にしたし。我今天下の執事《しつし》として。肩《かた》をならぶる者なければ聟に取ッて不足《そく》も有ルまい。又此方も今川の娘を貰《もら》ひ一ッ家となれば。日延《のべ》の願ィは十三月に限《かぎ》らずいつ迄成リ共勝手次第。其外仲秋が身の上万ン事あしくは計《はから》ふまじ。媒《なこうど》は則チ蔵人一トス頼ムと付ケ込ム詞。なむ三宝しなしたりと。又行当タる難題《なんだい》を云ィくろめんと心にうなづき。委細承知《いさいしやうち》仕る。併《しかし》申さば大切ッの婚姻《こんゐん》。軽々《かる〴〵》敷ク某がはからひにも成ルまし。本人は勿論《もちろん》仲秋にも申聞カせ重《かさね》て御返事《へんじ》。イヤサ蔵人其手はくはぬ。当座《とうざ》遁《のが》れの間に合ィ詞。身が望《のぞみ》を叶《かな》へねば兄弟といふ云訳《いひはけ》は立ッまい。兄弟ならねば悪名遁《のが》れず。仲秋は遠島《ゑんとう》さするが。ハハツアいかにも〳〵。さ程に思召スならば立帰ッ（52ウ）てぜひおすゝめ申御婚礼《こんれい》取リ結《むす》ばん。ホ、ウ夫レでこそ満ン足〳〵。コレ仲秋が放埒《ほうらつ》の証拠《しやうこ》に成ル此三味線。大小共に汝にかへせば此弾正別心《へつしん》ない。コリヤ〳〵監物善はいそげ。夫レ結納《たのみ》の進ン物持タせ蔵人を伴《ともな》つて。直クに返答《へんとう》聞て帰れと。尺寸《せきすん》の間も赦《ゆる》さぬ手詰《づめ》。せひに及ばず領掌《りやうじやう》しいざ。同道と行ク道も急《いそ》ぐ監物。すゝまぬ蔵人。忠節却《かへつ》て主従《しうじう》の。難儀《なんぎ》になんだい重る思ひ。胸は磐石《ばんじやく》釘鎹《くぎかすがい》。打連帰る西の京千本ン。通りへ　〽立かへる。

日の本の。稚《おさな》遊びの調《てう》か半ン唐士《もろこし》にては見《けん》と云。見ンは見《みる》なり逢《あひ》見ての後は互にいとしさの。心果《はて》なき奥州が。きのふの流レせきとめて契りも深《ふか》き今川の。お下《モ》屋敷《やしき》へ移《うつ》されて。栄花《ゑいぐは》の数の千本ン通リ。サンナ。スムイ。タニコ。ロマ。チヱマ。千話事《ちわごと》の左礼《ざれ》や。火燵《こたつ》にこが（53オ）るらん酌《くむ》盃キのてり添《そひ》て。春の日もやゝかたむけり。

傍《そば》の騒《さはぎ》に聊《いさゝか》も移《うつ》る心の仲秋は。火燵《こたつ》に物をおもひ顔奥州はむつと顔。ア、錦木殿もふ見ンおかんせ。おかんせとはお気もじでもわるいかへ。いやなふ殿様のあのお顔を見さんせ。十七八面もつくつて見ンもいや酒もいや。あたにくてらしい何ひぞるのじやの。是奥州。ついなんどりと物いやいの。ひぞる事も何ンにもなけれど。心にかゝるは蔵人がけふの御召。重服《ぢうふく》の穢《けがれ》有身を以て。神ン宝の有所の詮義恐れ有リ。父了俊がむかはり過る迄御待下されと。十三ケ月延《のべ》て貰《もらふ》た其上に。又日延の願ひ我に虚病《きよびやう》させ。決断《けつだん》所へ出さぬも蔵人が分ン別ツとは云ながら。御前の首尾が気がゝりて有リやうは見ンも耳へはいらず。酒も咽《のど》を通らぬと断リ聞ィて誰々も。俄《にはか》に吐息《といき》つぐ酒の酔《ゑい》も（53ウ）銚子《てうし》もさめにけり。

只今蔵人殿お帰りと披露《ひろう》諸共数々の。進ン物ならべさせ三味線携《たづさへ》弾正が。使者《ししや》をいざなひ立帰る。荒川蔵人。是は〳〵妹君。仲秋公の御病気慰《なぐさ》めの御酒宴《しゆゑん》か。ヲ、蔵人帰りしな。御前ンの首尾《しゆび》はいかゞシテ同道の人は誰《たそ》。是は綴喜《つゝき》監物《けんもつ》と申ス。山名弾正《だんじやう》少弼《しやうひつ》殿の執権《しつけん》。御ン妹奥州君を御所望の御使者。御覧《らん》のごとく結納《ゆいいれ》の品々御ハル持《ぢ》参《さん》なりと。聞て人々色仰天《げうてん》顔。詞ア、是々驚《おどろ》くまい。今日某を決断所《けつだんしよ》へ召サれしは。将軍の御諚《ちやう》によつて諸役人立チ合イ。山名弾正少弼殿。九条の揚《あげ》屋の花車禿《くはしやかぶろ》やりてとやらん。其外カ盲目法師《めくらほうし》牽頭《たいこ》など申ス者を召シ出し。是此三味線を証拠《しやうこ》として。君御放埒《ほうらつ》の御身持チ明イ白の御詮義《せんぎ》。蘇秦張儀《そしんちやうぎ》（54オ）が弁舌《べんぜつ》をかつて云イほどくといへ共。甲斐《かい》なく御放《ほう》埒《らつ》に事究《きはま》り。羽衣の有リ所尋る日延《のべ》の願イ迄もなく。今川の家督《かとく》召シ上られ。君は遠島流罪《ゑんとうるざい》と評諚《ひやうぢやう》定《さだま》る。地ウなむ三宝御家の一チハル大事此時と。ウ肺肝《はいかん》を砕《くだ》くに色詮方《せんかた》なく。詞ナア申シ。爰をとつくと御聞なされ。ゆめ〳〵口《こう》外《ぐはい》へ出さぬ一チ大事なれ共やむ事を得す。誠《まこと》奥州と申ス遊君は。妾者《おもひもの》の腹にやどり出生《しゆつしやう》せし了俊の娘。仲秋が為腹がはりの妹なりと。ナ御合点が参りしか。夫レ故忽《たちまち》評義《ひやうぎ》かはつて。地ウ羽衣を尋る日チ限《げん》も願イの儘に相延《のび》。ハル御家督相続《かとくさうぞく》の義は弾正殿。ウ身命にかへ御取リ持有ルべき色御請ケ合の上。詞其奥州を我に得させよ。日をゑらむ迄もなしすぐにたのみを送らんと。此品々を取持ゆいいれの御使者。ナ此上に包《つゝみ》（54ウ）隠《かく》されては。名字《めうじ》の断滅《だんめつ》御家の破滅《はめつ》。是非なしと思し召シあきらめて。御使者に御対面。ナ御合点がまいりしかと顔で悟《さと》らせ瞬《めまぜ》でしらせ。詞に心をふくませて。サア妹を送らんと御挨拶《あいさつ》ナ御合点が参りしかと。いはせもあへず飛か丶つて首ねぢ上。

何ンじや奥州を仲秋が腹がはりの妹とは。ア、是々妹君でないと申せば。御身持チ御放埒《ほうらつ》立チ所にお家の滅亡《ぼう》。其御合点が参らぬか。ヤアぬかすまい夫レ程の事仲秋が合点《がてん》せまいか。弾正はおろか焔魔《ゑんま》王《わう》十王獄卒《ごくそつ》が附添詮義《つきそいせん》する共。妹といはず共云ィ抜《ぬけ》の品は様々。今更《さら》奥州を弾正に娶《めあはせ》て此仲秋が立ッべきか。よふ妹とぬかしたな。ヲ、申シた。妹君を妹君と申スに何ンの遠慮《ゑんりよ》。君傾城の勤《つとめ》は了俊の御（55オ）種《たね》仲秋の妹としれぬ中チの事。しれての只今は弾正は愚《おろか》。后 后妃《きさきこうひ》に立テらる丶共何の恐れ。僅《わづか》の一チ分ンを立テごくにも立タぬ義理をやみ。先祖《せんぞ》の不孝末代《かうまつだい》の瑕瑾《かきん》。立チ所に鬼界《きかい》八丈の巣守《すもり》と成ルが御目に見へぬか。其時の恥辱《ちぢよく》けふの恥にくらへて。とちらが重《おも》いどちらがかるい夫レ聞ふ。

ヤア聞ヵすに及はぬ儕レが云フ事聞ヵぬ〳〵。聞ヵぬとはお情ケない。まだほうげたを叩《たゝ》くかと拳《こぶし》を振《ふり》上ケ二つ三つ。打ッてもやまぬ鉄槌論傍《かなづちろんそば》に奥州錦木《にしきゞ》が。指出《さしで》もならすはあ〳〵と身中チに汗《あせ》の水かけ論。監物いかつて大音ン上ケ。あら心得ぬ使者には欠《あくび》の百もさせ。口上も聞ヵす挨拶もせず。ぶつつくらはせつ主人ン弾正は慮外《りよくはい》。使者へは無礼祝義の品々は此儘《まゝ》預《あづけ》る。立帰ッて此訳《わけ》申シ上ケんと立上る蔵人驚キ。（55ウ）ア、是々今暫く。主人年若にて。奥州と申傾城は仲秋が妹。了俊が娘よと人々に嘲哢《てうろう》せられては面目なし。なぜ奥州を妹と申上たりと其腹立の此折檻《せつかん》。せんずる所貴殿の御主人を。仲秋が妹聟には過分に存る心より此体たらく。是殿打れうが踏《ふま》れうが此時宜《しぎ》に及び異変はならず。是お使者。主人が名代口真似《くちまね》致《いた》す。蔵人が詞に相違《さうゐ》はない。たのみの御祝義悦んで受納《じゆなふ》仕る。重て日を撰《えらみ》御迎《むかい》に輿《こし》を給はるべしと。帰つて御披露《ひろう》御取なし頼存ると。断《ことはり》聞ィて色を直《なを》し。

ムウ主人弾正を敬《うやま》ひ。仲秋の辞退《じたい》も尤ながら。其段は御覧ンなる。併《しかし》日を撰《えら》ふ迄もなく。今日夜に入て迎ィに参るべし。其時異変《ゐへん》有ルにおいては。主従罪科《さいくは》の用心せよと頬《つら》でおどして帰りけり。

アレお聞なさ（56オ）れしか。主人の威光《ゐくはう》をを鼻《はな》にかけきやつ迄があの存在《ぞんざい》。殊《こと》に駿河守殿に頼れしと相見へ。殿を科《とが》に取ッて落さんとせし弾正。幸ィ奥州に心をかけ。仲秋が妹に極らば我に得させよ。ヲ、奉らんと請合し故にこそ。忽《たちまち》に味方と成日延《のべ》の願ィも心の儘。御家督《かとく》相続《ぞく》の杖柱に成たる物。今更《さら》異《ゐ》変《へん》せば。出世の門にいらんとして自其戸を鎖《さす》に似たり。情ヶなや譜《ふ》代重恩《ぢうをん》の御家来迄。駿河守に付キ従《したが》ひ。君漂泊《へうはく》の今日の御先途《せんど》。見届《とゞく》る者とては我ならで誰《たれ》か有ル。其蔵人が御ン為あしく。御恥辱《ちぢよく》に成事を申シ上クべきか。御父了俊公の弓矢を請続《つい》で。文道にも武道にもそばだち立ッたる。国主城《こくしゆじやう》主の其中に。君に似たる御器《き》量《りやう》の人は一人も候はず。天晴《あつぱれ》の御大将なれ共うたてや一トつの癖《くせ》（56ウ）有ッて。ひたすらに色ふかく。独《ひとり》の女を捨兼てお家の破滅《はめつ》が目に見へぬか。浅間《あさま》しさよもどかしさよ。サアおゝかサアいやかおゝなれば千秋万歳。いやなれは家断滅《だんめつ》。此事済《すん》での其後は打チたゝきは愚《おろか》。刻《きざみ》なり共切リなり共御存ン分ン。夫レ厭《いと》ふ蔵人にては候はず。先ッ奥州殿をやらふと有ルたつた一チ言ン。聞せてたべと言葉を盡《つく》し怒《いかつ》泣つ思ひ。こふてぞ諌《いさ》めけり。

ヲ、聞キ分ケた。扨々思ひ寄《よら》ざる珍事《ちんじ》。蔵人なくんば仲秋が一世の浮沈《ふちん》。早速《さつそく》の働《はたらき》過分《くはふん》〳〵。不便ンには思へ共家国には替がたし。奥州が事ふつつりと思ひ切リ只今よりコレ妹。弾正が所へ嫁入《よめつ》てくれ。扨は御合点参りしかと夫婦は悦ぶ奥州は。夢見しごとくすがり付キコレ殿。今のは真実か其筈《はづ》では有ルまい。鴨《かも》川の水双六の賽《さい》の目は。心の儘《まゝ》に成ルとても二タ人リ(57オ)が中は替《かは》るまじ。ヲ、離《はな》れじとこそ契《ちぎ》つたではないかいの。今と成ッて嫁入リせいの妹のとはフウ聞へた。是幸に片付ケて云ィ号《なづけ》の姫君様と。しつぽりと添《そを》ふでな。おまへの名乗リの仲秋の秋の字が。兼々心にかゝりしが今といふ今ふたりが中の仲秋になつたかと。お膝《ひざ》にうつむし身もだへし。涙は雨や五月雨《さみだれ》の袖に。名もなき川となる。

エ、奥州殿悪《わる》い御合点《がてん》。浜名の姫君としつほりはそりやいふに及ぬ事。其方とても其儘召シ置カれ。御寵愛《てうあい》

なさる、に誰憚《たれはゞか》りはなけれ共。か、る災難《さいなん》のできたるは其方の不運。御名残は尽《つき》せね共。地ウ御大事にはウかへ
がたし。憚りウながら妹に成てハル嫁入仕ッらんと申シてこそ。ウ御家御大ィ切ッ殿いとしい中の真実とはいふべげれ。
ウやう／＼と御合点参りしに又ハル泣詢《くどい》て。ウ殿の心をまどはすか御家の（57ウ）大事は思はずか。ウ扨々見限《かぎ》り果
たる心ン底《てい》。か、らぬ／＼と色仏頂《ぶつてう》顔。地ハルイヤ是色蔵人腹詞立るな。おれが爰にこふして居ては。いかにも嫁入致
さふとはいはれぬ筈《はづ》。おりやいかふはい。とは何国《いづく》へ。いづくへといふて今の仲秋。本ン国は当分伯父の
預リ。志《こゝろざし》は浜名の館《やかた》へ。殊《こと》に駿河ノ守彼《かれ》是手立もせしと聞。地ウ蜜《ひそか》に立チ越《こへ》屋敷の体《てい》もハル聞合せ。ウ姫が心も余所《よそ》
ながら窺《うかゞ》ひ見やうも色ふいこふ。詞是は／＼天晴《あつぱれ》の御思案《しあん》。見へ隠《がくれ》の御供は跡より。然らば御出なされうか。
行ぞ／＼奥州さらば。コレ申其お心で奥州とは。ヲ、夫レよ誤《あやまつ》た妹まめで。地ハルさらばよとフシ三味線携《たづさへ》立出る。
地ハルナフ待ッてたべ一ッしよにとか中け寄レば。ウ蔵人頓《やが》て立ふさがり隔《へだて》ハルとなつて寄付《よせ》ケず。ウ錦木見るめに色絶兼《たへかね》て。詞御
合点なされ御出の上ちとお隙の入ル分ンは大（58オ）事か。地ウせめて盃ハルさせましたいといはせも立ず色ぐつとね

詞
め。よしないほうげた叩（たゝ）くまい構（かま）ずと殿ごされ。
　　　　　　　　　　　　　地ハル
かはる色目はなかりしにつれなや跡に振捨（ふりすて）て。お独（ひとり）浜名へいかしゃんすか。今朝暁（けさあかつき）の鶏鐘（とりかね）もひとつ裯（しとね）の上に聞（きゝ）。
　　　　　　　　　　　　　　　　　　　詞
れが二つ紋の此三味線。片時も肌身（はだみ）を放（はな）さねば二人連立（つれたチ）行心。逢たい見たい折節（おりふし）は調（しらべ）て心を慰（なぐさむ）はいの。
　ウ　　　　　　　　　　　　　　　地色ハル　　　　　　　　　上　　　　ウ　　　　　　　　　ウ
ハア、忝いかはいらしい事よふ云ッて下サんした。若此儘（もし このまゝ）でこがれ死（じに）死ッたら。お膝（ひざ）の上へ抱上（だきあげ）られ。
　ウ　　　　　　　　　　　ハル　　ウ　　　　　　　　　　　　　　　　　　　　　　　中　　　　　　　ウ
おまへのお手でひかるゝやうにわしゃ猫になるぞへ。猫じゃくヽわしゃ猫じゃ。猫は兄弟夫婦に成っても
　ウ　　　　　　　　　　　　　　　ウ　　　　　　　　　　　　　ハル　　　　　　　　　　　　　　　ウ
大事ない。殿様なふと又かけ出すを引とゞめ。長居は無益早お出と殿をなだめてやる別れ。やらじと跡に
　上　　　　　ウ　　　　　色　　詞　　　　　　　　ハル　　　　　　　　　　　　　　　　　　　　　　　ウ
とゞむる別れ。別れヽヽの会（58ウ）者定（しゃぢゃうり）離とゞむる夫婦も今さらに。互の心思ひやり。なたむる袖の
　ウ　ハル　ウ　色　　詞　　　　　　ハル
ひまヽヽにそつと隠（かく）して嘆しが。
　地ウ　　ハル　色
蔵人奥州が傍近（そばちかヽ）く。世上のことぐさに申スを聞ヶは。君傾城を勧（すゝめ）し身は。物事にねちみやくせず。万ン事の
　　地ハル
弁ヘも有ルと申スに。夫レ程愚痴（ぐち）に泣こがれては。天晴（あつぱれ）九条の名にしおふ奥州殿には似合ずと。半ン分聞テ

いや〳〵。是ねちみやくも弁へも事により品による。兄弟でもない物を兄弟と大それた嘘《うそ》ついて。悲い情《ケ》ない此苦《くる》しみを見せながら利根《りこん》そふにまだ理屈責《りくつぜめ》。云《イ》たくばいふたがよい。奥州は聞耳《みゝ》持《タ》ぬ聞とむないと。両の手を耳に押《シ》当《あて》うつむして。取《リ》付島もないじやくり。

錦木も目は泣《キ》はれながら夫《ト》を遠《とを》ざけ立《チ》かはり。お道理〳〵お腹の立《ッ》筈《はづ》。夫《ト》は弓取《リ》堅《かた》い一《ッ》遍《へん》で恋も情《ケ》も弁《わきま》へない。私が申《ス》（59オ）事をとつくりとお聞なされや。奥州様と立寄《レ》ば身を捻《ねぢ》て。こなたは恋も情《ケ》もしつてか。今でもこんな事がおこつて。こなたを蔵人殿が妹にしてどこぞへ嫁入《リ》させふとあらば。おつといふて行《ク》気かや。サア夫《レ》は。よもや嫁入《リ》は成《ル》まいがの。我身つめつて人の痛《いた》さをしつたがよいと。一《ト》口にやりこめられて手持《チ》なさ。立かはり入かはりせぶらかして何《ン》じやの。せめて情《ケ》にはかまはず共。思ふ程泣《なか》して下され夫婦の衆《しう》と。わつと身もだへ伏しづみ声を上《ケ》て泣《キ》ければ。夫婦は今更《さら》詮方《せんかた》なくとほうにくれて見へけるが。

蔵人溜息《ためいき》つぎあへず。士《さふらい》の口《くち》と書て吉《よし》と読《よむ》は。云ッ詞の違《たが》はぬを以ッてなり。エ、思ふに違《たが》ふ世の中御所《しよ》望《もう》の上は奉らん。ヲ、貰《もら》はんと詞をつがいしは。天下の決断所《けつだんしよ》諸役人の真中《まんなか》。今更嫁入《さらよめる》まじと申ス妹にては候は（59ウ）ずと。何頬《つら》さげていふべきぞ。仮《たとへ》云負せてもお家の滅亡《めつぼう》。遠島流《ゑんとうる》罪《ざい》は目《ま》のあたり。何とながらへ其憂《うき》恥を見るべきぞ。介錯《かいしやく》頼む女房と手ばしかく身繕《づくろ》ひ。既にかうよと見へける所に。なふ早まるまい蔵人殿と。あはてふためき立出る奥州が母の嶺松《れいせう》尼。刀持ッ手にすがり付キ。御帰りなされての抑《そも〳〵》より。御次の間にて何もかも残る方なく聞たるぞや。御恨は此母に娘をなだめ得心させよとなぜいふて下されぬ。お腹めす事も何ンにもない。おれが受取ッて弾正とやら少弼《しやうひつ》とやら。そこへ嫁入させませふ。ちつ共気遣ひない事と娘の傍《そば》に立寄リて。娘泣ケ々。いとしかはい殿御《とのご》を捨て。思はぬ方へ嫁入する物悲しうなふてなんとせう。泣ケは泣ケじやが。又分別もしてみたがよい。今川（60オ）のお家が立かたゝぬか。殿が出世なさるゝか島守におなりなさるゝか。其訳は蔵人殿が。詞を盡《つく》し手を盡しいふての跡。改《あらた》めていふに及ばぬ。高いも卑いも人たる物の。落日《おちめ》の時を忘れては。思はぬ不礼をするぞとよ。身にかゆる物なかりけり。みどり子はやらん方なく悲しけれ共といふ。古歌の心も辱《はづか》しや。二《タ》人《リ》の親が身を立《テ》ん其為に。わごぜを九条へ売《ッ》てやり。十年といふ永の月日の憂勤《うきつとめ》。夫《レ》をやめさせて御不便《びん》がつて下《タ》された。其御恩徳《おんどく》計《リ》でも。御家の為殿の為と有《ル》からはいやおふは云ぬ筈。夫《レ》のみならず此母迄。結構《けつかう》な此お屋敷へ呼《よび》入て。何くらからぬ御厚恩《こうおん》。二つの御恩のおもりには須弥山《しゆみせん》を。かけ競《くらべ》ても。勝《まさ》りこそせめおとらめや。サアよい子じや機《き》（60ウ）嫌直《げんなを》してにこ〳〵と。嫁入《リ》せうと申しやいのと。いへ共ぴんと身をそむけ火燵《こたつ》にとんと打もたれ。ナア三毛よ。おれが味方はわれ計。猫じや〳〵わしや猫じや。猫なら人が得呼まい。猫じや〳〵とくるしさを猫によそへて爪隠《つめかく》す。寄《リ》付《キ》なければ母親も軻《あきれ》て。

詞なかりしが。

娘こふではとふ有ふ。今一《チ》度《ど》勤《つとめ》してたもらぬか。コリヤかはつた事いはしやんす。たま〳〵遁《のがれ》た廓《くるは》の苦《く》患《げん》又勤《つとめ》せいかへ。いやのふ。何ンの廓へやる物ぞ。勤すると思ふてよめつてたもと云フ事いの。あれまだ云《いは》しやんす。廓へいてなら殿様ンに逢楽《あふたの》しみ勤もせうが。弾正殿へ嫁入はわしやいや〱。聞ク度《たび》ごとにつかへが上るもふ聞して下さんすなと。気合悪《きあいわる》げに苦《くる》しめばいかゞと驚《おどろ》く親心。爰は端近《はしぢか》かぜも吹ク奥へいてマア休《やす》みや。母もいて其痞《つかへ》さすりおろし（61オ）てやろぞやれ。コレおふたりいやと云ふが云まいが。迎《むかい》の御輿《こし》のくる迄に此尼が請ケ取た。ぜひ〱いやに究《きはまつ》たら其時は手をならそ。御夫婦ながらいごかずと必《かならず》爰にござれや。是は扨まだいかぬか。扨もしぶとい親に気をもまするな。サアおじやいのと手を引て。伴《ともな》ひ。奥にぞ入にける。

ふたりは母の受ケ合に冷《ひへ》かたまりし病人の。息吹《いきふき》出したるごとくにて。少シ力を得てげるが。便《たより》待ッ間の。しばらくは。秋の一ト夜の心地《こゝち》にて。吹ク風木草の音トするも奥の相図《あいづ》の手拍子《びやうし》かと。我鼻息《はないき》も遠慮《ゑんりよ》して耳《みゝ》をすまし気を配《くば》り。先ッ今迄は手もならぬ珍重《ちんちやう》〱。得心《とくしん》したかまだせぬか女房ちよつと覗《のぞ》かぬかい。返ン事もうなづき立上り。渚《なぎさ》の鷺《さぎ》の小鮎《あゆ》を窺《ねら》ふさし足し。襖《ふすま》づたひに忍び寄ル遠慮《ゑんりよ》は障《しやうじ》子の紙《かみ》一ト重《ゑ》。（61ウ）猫の爪《つめ》とく破《やぶれ》よりそつと覗《のぞい》て立帰る。さつてもしぶといいかな〳〵。合点した顔じやない。いとしいは尼御が泣つ詢《くどい》つ定メて口チもかいだるかろ。もふ日の暮ルに間もないに迎《むかい》きたら何とせう。御思案《しあん》なされ蔵人殿と聞ィて夫トも去リ共と。頼ム力も切レ果《はて》て投首《なげくび》したる折からに。奥に手叩《たゝ》く音トならではたと響《ひゞき》の一チ同《どう》に。火燵《こたつ》に伏《ふし》たる三毛の猫。俄《にはか》にむつくと起《おき》上り身をふるはし。四足をもがき毛をさか立三遍《へん》五遍かけ廻り。きやつと一ト声諸共に行方しらず失《うせ》にけり。

こはそもいかにと夫婦も軻《あきれ》忙然《ほうせん》として立たる所に。うち嗽《しはぶい》て母の尼しづ〳〵と奥より出。御夫婦共嘸《さぞ》お待チ兼。請合し詞相違《さうゐ》なく娘に得心《とくしん》致させし。御苦労《くらう》ながら奥へいてお逢《あい》なされて下されかし。夫レは誠か夢ではないか忝しと申ス（62オ）は愚《おろか》。今川御先祖《せんぞ》代々の冥途《めいど》の大慶《けい》此世の誉《ほまれ》。いで先ッお礼申さんとしぼめる花に露うつごとく。生々《いき〳〵》打連《つれ》奥に入。

地ハル 是はと計リ仰天《げうてん》し死骸《しがい》をひんだき狂気《きやうき》のごとく飛ンで出。色 詞 尼御コリヤ何なされた。得心《とくしん》させうと受ケ合は此事か。殺してお家の為になればそこ頼ム迄もなし。いやで有ふがおゝで有ふが一ト度《たび》弾正へおくらいでは。

地ハル つがいし詞偽《いつは》りとなり立チ所にお家の破滅《はめつ》。エ、はやまつたりしなしたりハア。はつと夫婦は顔を見合せてあきれ。スヱテ 中 果たる計也。

地ウ 尼もはつと心付キ。ナフ面目《めんぼく》もない受ケ合た詞の詮《せん》もなく。色 詞 わごぜの様な義理しらぬ子を持て顔が恥かしい。自害《じがい》しておりや死る。ながらへて何の業《ごう》さらし儕レも死《しね》。独《ひとり》は得死ナぬ殺《ころ》して下され。ヲ、殺《ころし》兼ふかと申たがせりふの終《おは》り。跡先キの弁《わきま》へなく（62ウ）云イ出した詞云イ募《つの》ればこつちも募《つの》り。娘もしぬる心になりやこつちも殺す気がかたまり。悪事《あくじ》災難《さいなん》ふせげとこそ持タせたる此守《まも》り刀。我身を殺す刃《やいば》となり。サア今が最期《さいご》念仏申せ。なむあみだとすゝめても夫レは聞入レず。コレ此顔で殿様に逢《あい》たい。わしや猫じや〳〵とついぐず〳〵と死たるは。地色ハル 犬死と申そふか猫死と申そふか。上ウ 親が我子をすき好《この》んで殺さふ様《やう》はなけれ共。

憎《にく》いと義理《ぎり》と御恩《おん》とに。跡先の見へなんたが尼が不調法《てうほう》。お腹立のやむ様に錦木様御挨拶《あいさつ》。ア、詮《せん》もないむだ死させた事では有ルはいと。思ひ切たか嗜《たしな》むかこぼさぬ涙中ヵ々に断《ことはり》聞ィて。蔵人も。恨《うら》かへつていぢらしくエ、是非《ぜひ》もなしお家の為。思ひ過《すご》しの不調法悔《てうほうくや》んでかへらず。（63オ）不便《びん》やさいごの際迄《きは》も猫に心を寄《よせ》しとや。思ひ合する事こそ有レ。此火燵《こたつ》に伏《ふし》たる猫何とはなしにむつくと起《おき》。四足をあがき身ぶるひし二三遍《べん》かけ廻り。くるしげに一ト声《こへ》さけびかけ出し今に帰らず。扨は最期《さいご》の一チ念ンが猫の骸《からだ》にわけ入て。其身忽《たちまち》猫となり殿の御跡慕《した》ひしか。エ、なり果《はて》し浅間《あさま》しやと聞ク内よりも気も消《きへ》て。ナフ情ヶなやさいごの体《てい》と猫の体。割符《わりふ》の合たお物語。疑ひもない娘は猫になり。生キながら畜生《ちくしやう》道へ落たよな。いふ事聞ぬは憎《にく》けれど此憎しみは今生《こんしやう》限《かぎ》り。未来《みらい》の往生《わうじやう》安楽《あんらく》は此尼が。多年修行《たねんしゆぎやう》の念仏の功力《くりき》。天晴《あつぱれ》仏にせう物と蚤蚊《のみか》さへ殺《ころ》さぬ此手にかけ。むごいめ見たは何ンの為猫にせうて、殺しやせぬ。（63ウ）ちいさい時は親々が。渡世《とせい》の為に勤《つとめ》させて苦《く》をする。果《はて》は親の手にかけて又畜生《ちくしやう》の苦《く》を見する。地獄《ぢごく》に計ﾘ鬼はなしさぞや冥途《めいど》から此親を。鬼じやと思はんはづかしや。赦《ゆる》してたもれ奥州とあへなきしがいにいだき付ｷ。こらへし涙一時ｷに。こがれさけびむせかへり前後《せんご》。ふかくに取みだせば。夫婦も見るに絶兼《たへかね》て。なみだにくる丶日も暮ﾙる遠寺《ゑんじ》の鐘《かね》のほの聞へ。いと丶哀《あはれ》を催《もよ》ふせり。

早契約《けいやく》御迎《むかい》の刻限《こくげん》。綴喜《つゞき》監物《けんもつ》殿御出なりと云ｲ入ﾙれば。さこそ〳〵コリヤ女房。尼御と死骸《しがい》をかた付ｹよ。迎の輿《こし》は切ﾘ戸ひらいて奥のお部屋《へや》の小庭《には》へ通《とを》せ。御使者是へと招待《せうたい》させ其身も。つゞいて奥に入。

御迎の輿廻りさは（64オ）やかに。子持《こもち》筋の揃《そろへ》の看板《かんばん》足取しづ〳〵しとやかに。奥の小庭へ舁込《かきこめ》ば。油煙《ゆゑん》うつまく三ッ丁子《てうじ》紋の灯《ちやうちん》燈輝《かゝやか》す。執事《しつじ》の威光《ゐくはう》の供廻り広庭《ひろには》に待ﾁかけたり。錦木使者に出向ひ。是は〳〵早速《さつそく》の御迎《むかい》御苦労《くらう》と申ｼながら。あなたもこなたも今宵《こよひ》のめでたさ。第一結構《けつかう》なお日和《ひより》いよ〳〵めでたふ存じます。夫ﾚ々何も角《か》もめでたい。迚《とて》もめでたい次手《ついで》一時も早く御供いたし。重《かさ》ね〴〵めでたふナフ奥方。アいやお隙は入ﾙまいと云つ丶心の底気味《そこきみ》悪《わる》く。どふかこふかとためらふ折節《おりふし》。手先ｷ揃《そろ》へてひたく〳〵お部屋の小庭《には》を舁出《かき》る。

監物庭に飛《とん》でおり手をつかへ。御機嫌《きげん》よく御輿《こし》にめさる丶段。迎《むかい》奉る拙者が大慶憚《けいはゞか》りながら。御面体《めんてい》（64ウ）とつくと見届ヶ申さんと立寄レは。ア、是々いまだ聟君様御対面《たいめん》もない中チ。外カの人にお逢《あい》なさる丶法はない。其儘《まゝ》御供して御出なされ。イヤなふ夫レは世の常《つね》の嫁入リの事。正《まさ》しう奥州といふ傾城。仲秋が妹成リと蔵人の言葉を。妹にして迎ィ取ル嫁御寮《れう》。万ン一相違《さうゐ》有レは我らが不念ン。念に念を入ねばならずと立寄ッて。輿《こし》の戸ひけばこはいかに。思ひも寄ラぬ荒川蔵人麻上《あさがみ》下ニ*に白小袖。いと悠々《ゆう〳〵》と乗たるは興《けう》さめ。てこそ見へにけれ。

扨こそ〳〵申さぬか。是蔵人。御辺《へん》が迎に監物は参らず。サアおりて妹君を送《おく》られよ。左礼《ざれ》か酒興《しゆけう》か座興も事に寄ル。馬鹿尽《ばかつく》すなとひしめいたり。ヲ、其妹君にコレ御め見へ。御最期《さいご》の子細《しさい》は弾正（65オ）公へ直キ々に申シ上ヶ。此首で御祝云《しうけん》済メば珍重《ちんちやう》。若《もし》御得心なければ御刃《やいば》を穢《けが》すか御庭をよごすか。何事も此蔵人が胸に有リいやお、なしに連《つれ》かへられよ。ハ、、、、こふ有ふと思ふた。まんぞくに嫁入させては仲秋が妹でない。化《ばけ》の皮《かは》がはける故首計嫁入リか其手はくはぬ。サア満束《そく》な嫁御寮《りやう》渡せ請ケ取ロふ。ヤア過言《くはごん》也化《ばけ》の皮《かは》がはげんとは。扨は奥州を仲秋が妹とは。蔵人が偽《いつは》りと思ふか。ヲ、偽りでなくば一チ大事の預ものなぜ殺した。サア夫レは。夫レはとは返答《へんたう》はよも有ルまじ。サア何ンとサアいかにと勢《いきほ》ひか、つて詞《ことば》詰《つめ》。ヲ、其返答爰に有リと母の尼。障子《しやうじ》をさつと押シひらけば咽《のんど》に懐剣《くはいけん》さし貫《つらぬ》き。朱《あけ》に染《そん》だる其ふぜい錦木是はと走《はしり》寄リ。抱《だき》か、へ（65ウ）いたはれば使者も驚《おどろ》く計リ也。

尼はくるしき息《いき》の下タ恥かしや御使者聞てたべ。了俊公《りやうしゆんこう》のお情ふかく。腹こそかはれ仲秋殿の。妹を産《うん》だ程の我レなれど。素性《すじやう》賤《いや》しき悲しさは。よい年して跡先キの分別《ふんべつ》なく。勤《つとめ》の中チの馴染《なじみ》し男に心くれ。弾正殿へは参るまじと云ィ募《つの》る我娘。仲秋殿も自《みづから》も。弾正殿を聟に取ル嬉しさに。一チ倍《ばい》の其憎《にく》さやら腹立に手にかけて。殺せしは此母此刃《やいば》。一ト度《たび》嫁入させいでは仲秋殿の身も立ず。家も立ずと蔵人の悔《くやみ》を聞ィて其悲しさ。口チでまだ〳〵云訳《わけ》も恥かしく。思ひ余《あま》りての此自害《じがい》。仲秋殿の妹にまがいなき奥州を殺せしは。蔵人のわざでない。云ィ訳《わけ》は尼が自害《じがい》を（66オ）証拠《しやうこ》にして。お使者取なし頼入ル。南無あみだ仏と諸共に。刃をぬけば息《いき》たへて。暁《あかつき》ちかき燈《ともしび》火と消《きへ》てはかなくなりにけり。

錦木わつと悲しみの馴染《なじみ》は血筋同然《どうぜん》に。こぼるゝ涙中カ々に。使者も自害《じがい》にあぐみ果《はて》。ムウ親と云ィ子と云ィ慰《なくさみ》には死ナぬ筈《はづ》。此通り申シ上ケともかふも御前の御沙汰《さた》。いざ同道《どうく》せんいそふれ蔵人。ハアはつと使者の詞に乗リ物の。お輿《こし》参れと八枚《まい》がた。コレなふしばしと錦木が呼《よべ》どさけべど見帰らず。夫トを連《つれ》て行別《わか》れいつしか帰リ奥州が。昼《ひる》の別れに濡《ぬれ》た袖しゝびもせぬに又候や。尼が最期《さいご》の憂《うき》別れ余所《よそ》の。わかれを身ひとつにかぞへ。〳〵て錦木が千束《ちつか》に。余る夜半《よは》の鐘《かね》別れて。館《やかた》を出にけり（66ウ）

第四

道行比翼《ひよく》の鳥追《とりおひ》

二上リ鳥おい

やんらめでたや。やんらたのしや。千《せん》でうや万《まん》でうの鳥おいが参りて。ふくの神をいはひこめしらげもよねやろ。ましらげもよねやろ。名高きよねに　なれそめて。はなれがたなき。こひなかを。兄弟ならぬ兄弟の。うきなも浮世《うきよ》なりけらし。いよの介仲秋《すけなかあき》は。鳥おい姿《すがた》に身をやつし。人めせき笠ふか〴〵と。かたみに持《もち》ししやみせんに。つるゝちつかの錦木《にしきぎ》がかい〳〵（67オ）敷《しく》も御供し。都を。出て行跡の嘆《なげき》。なげきにあふしうが。母諸共にきへ行し水のあはれを露程《つゆほど》も。しろしめされぬいたはしさ。

それにおとらぬ連合《つれあい》の行衛いかにとかれこれを。心につゝむほうかぶり。さゝらの竹の夜をこめて。よむにはつきぬまさごぢの。浜名《はまな》の〳〵たちへと。急キ行

ころは卯月の。初《はじ》めつかた。月はなのみぞ仲秋が此身のくもりも晴《はれ》よかし。あはづは恋にいみ詞夫《つま》と妻《つま》とが妻夫《つまぐ》を。思ひ〳〵てこがるゝは。のべのほたるか胸《むね》の火か我も蝉《せみ》ならなきたさよ。それよりにくの虫の声《こへ》。野でも山でもなきはせで。（67ウ）いとしかはひの其中を。きり〴〵す〳〵と。なくはいのるか。つらにくや。時ならぬ虫の音にいとゝ。あはれは。まさりけり。こゝのくさつに。夜をあかし。心つかれに行足も。思へは。うきよはア、あぢな物ソレ。其さゝら此しやみも。すぐではならぬ。横田《よこた》川。ゆがみし人がはびこれど今さら何としみづ谷。神のちかひをまちやがは。みなもと清《きよ》き正八幡《まん》。しばらくぬかづき給ひけり。天《あま》の柏手《かしはで》。こたまして心ぼそくも行雲は。あの山こへてこなたの山。やま〳〵。めぐりめぐるや。夕立のあめの足音《あしをと》ほろ〳〵。とゞろ〳〵となるかみを。こゝはおそれぬくはなの海。帆《ほ》か

けて（68オ）渡る旅《たび》人の。諸国の咄《はなし》つみのせて。皆《みな》こへ〳〵にはり上て。か丶がかはいか女郎《ぢよらう》がよいか。か丶はたても女郎は色よ。いつそ気をかへかこい者ヲ、ゆかしゐ。我をばしらで我事を。歌にうたひてそしるを聞は。かほもあつたの。宮《みや》も過《すぎ》。仲秋は松が根《ね》に腰《こし》打かけ。此しやみのふたつもん。はなれまいとて書《かい》たるが。今は是ゆへ別《わか》れても心の音調《ねじめ》はかはるまじ。ひいて心をしらべんと。げにわりなきは色の道。迷《まよ》ふは人の。ならひかや。過し花見の折から此歌をつれ引に。君と我とがふたりして。ア、きのふはけふの昔《むかし》。奥州《あふしう》が事を思ふはぐち。思ふまじ〳〵と。思ふはいとゞ思ひ草。人めを（68ウ）忍《しの》ぶ涙の露《つゆ》のべの。くさばもうるほへり。錦木《にしきゞ》はかなしさのわけをいはぬも君が為。乱るゝ心を取リ直《なを》し。サア〳〵殿様もふ日もくれる一ト拍子《ひやうし》。

〔二人〕鳥追がまいりて。ふくの神をいはひこめ我身もさかへさふらふは。誠《まこと》にめでたふさふらふ。我身のさかへは国の為。国の為にはぜひなしと思ひ。わたりしやはぎの橋ながき旅路《たびぢ》を赤坂《あかさか》の。町行人の見とがめていとゞ。うき名の有ル上に。あれこそひよくの鳥おいと。

浮名をよぶは誰人《たれ》の誰やろ。左大臣《さだいしん》に右大臣《うだいじん》。関白殿《くはんぱくどの》のお守《まも》りで。御代もしづかにしらすかの浜名《はまな》の。橋にぞ　〽着給ふ（69オ）

二上リ歌
折節《おりふし》は。忍ひ音《ね》に泣ク憂《うき》涙。顔が見たさに又爰へ。通ひくる野の。夕附日《つくひ》。なたねやけしの花の色。

ナヲス
移《うつ》りにけりな。小蝶の前。仲秋の身の上を神に祈《いのり》の御日待。眠《ねふり》さましのお伽《とぎ》とて。お傍《そば》女中の連《つれ》歌や

ウ
軒端《のきば》洩《もれ》くる爪琴《つまごと》の。便リもとめて忍びくる。

地色中
伊予ノ介仲秋は羽衣の有リ所しれる迄。身の置キ所雲水と定メなき世に蔵人が。妻の錦木諸共に。人めをつヽむ鳥追姿。番《つがい》離《はなれ》ぬ翅《つばさ》の所縁《ゆかり》。小蝶の前を頼んと。館《やかた》の辺《ほとり》に立やすらひ。あの爪音トは姫君の御寝所《しんじょ》と。切戸より指覗《さしのぞき》。殿様のお身の為にお日待を遊ばすやら。お備《そなへ》物も備へて有。女中方が打寄て弾《ひい》つうたふつお慰め。あの騒《さはぎ》の其中へずつとお出遊さば。思ひがけは有ルまひし。姫君のお悦《よろこび》はどの様《やう》に有ふぞい。

詞ヲ、夫レはさも有リなん。姫が悦ヒと聞に付ケても思ひ（69ウ）出すは奥州。兄弟ならぬ仲秋を兄弟と。地中云ねはならぬフシ義理とウ成。互にあかぬ中を別レる悲しみの上ハルに弾正が。ウ無体《むたい》な恋に身をくるしめ。ウ憂《うき》めを見ん不便《びん》中さよ。詞ア、実《げに》もおつしやる通り。とかく女子は思ひ切のない物故。おふたり一つ所に置キまし。奥州様に御みれんが出た時はお家の大事と。是へお供へ申せしかど。地ウ去ル者は日々にうとしと申せば。ハル今比は何気《げ》もなふ。尊《とうと》い所へ嫁入してウ楽《たの》しんでござらふと。ウ口にはいへど心には奥州様の御さいご共。しらぬ殿の心の中。思ひ遣《やり》てウ錦木もそ中フシゞろ涙くみけるが。

詞ア、わつけもない妹君のお噂《うはさ》。地ウわたしやお先キへ御案内と。ハル行を引留先ッ待テ色錦木。詞結納《ゆいいれ》計リでいまだ婚礼《こんれい》もせぬ姫の館《やかた》。うかつには行れまい。地ウ誠に左様ア、ハルどふしたらよからふぞ。ほんに夫レよ幸《さいはい》な二つ紋の此三《さみ》絃《せん》。あのウ琴《こと》歌に合しておまへがおウ弾《ひき》遊さば。妻乞鹿《つまこふしか》も笛《ふへ》に寄ル。ウ姫君のお胸へひつしりとこたへ（70オ）て人を呼出すよい色手がゝり。詞コリヤ出かした。伝《つた》へ聞ク牛若も。矢矧《やはぎ》の長者が独《ひとり》姫に馴染《なれそめ》られしは想夫恋《さうふれん》。

是は又身の上を余所《よそ》へしらする調《しらべ》の糸。ねじめも高く弾かけて。　我身は是の此姿。つれなき命ながらへば。又此比や忍ばれん。忍ぶにつらきめせきがさ。ふかき思ひぞ　せつなけれ。

歌の唱《しやうが》歌もあひに逢障《あふしやうじ》子押シ明小蝶の前。誰レなれば自《みづから》が琴《こと》にあはする三絃の。其弾《ひく》人ぞ心にくしたそ見てこよとの仰を受ヶ。手燭《てしよく》さゝげて女房達チ庭の。露草ばら〳〵と走《はしり》つまづき切戸より。指覗《さしのぞ》き立帰り。あの三弦のねじめとは大きに違《ちが》ふた形恰好《なりかつかう》。女夫づれの袖乞《そでごい》。お足《あし》でもやつてやりやと。つぶやけば青砥《あをと》が妻。いやさふで有ルまい。日暮レて此館へ三弦弾《ひい》てくる人は。合点が行ぬ。どりや本ン阿弥《あみ》が見極《きは》めふと庭に。おりしも切戸の。かけ金計リは幸ィと。戸をひらき（70ウ）表に出手燭《てしよく》のかげに顔見合せ。ヤアおまへは錦木様。そふおつしやるは紅葉様。扨ッも久しやこちらなは仲秋様。是はしたりあまりあきれて物がいはれぬ。此マアやつしたお姿の子細《しさい》はどふじや錦木様。夫レを咄せばながい事一ッ時も早ふ姫君へ。ほんにそふじやおしらせ申そ。いざこなたへと先キに立。

詞
サアゝゝ紅葉がよい目利仕おふせて殿様のお供した。と鳴わめけば小蝶の前。一ト間よりまろび出。ど
れゝゝ何所にほんに誠に仲秋様。よふお出遊ばした。今宵おめにかゝるのも日待チの御利生。是も夢では

地ハル
なり

ウ
ない事かと。顔を見上ゲ見おろして嬉し涙にくれ給ふ。

中フシハル
詞
ヲゝ道理ゝゝ。仲秋もそなたの貞節兼々聞て祝着せり。某も日延の願ヒで都に永々逗留の中チ。駿河は伯父

ウ中ハル
ウ
定広に押領せらるゝ。何とぞ後室を頼ミ館に足をとゞめ。羽衣の詮義せん（71オ）と身をやつしくだつた

ハル
り。ヲゝあのおつしやる事はいの。おまへの館へおまへのお出なさるゝに。母様じや迎何ンとおつしやろ。

地ウ
ほんに時キ世迎いかい気苦労遊ばし。お顔もいかふやつれたとせな撫給へばなふ錦木様。終におひろいな

ハルハル色
詞
されぬ長の旅で殿様も無ゾお草臥。御寝ギヨシならそじや有ルまいか。ヲゝよふ気か付いた紅葉様。お草臥の段かい

な。

地ウハル
私もとんと鍬ぬかしたお道理ゝゝ。サア妛衆お床とりや。こんな所は起転きかしてはやふはゞづそと

中ウ
ハル
錦木紅葉。打連行ヶは小蝶の前。サアお休遊せとおもはゆげなる初恋に。顔は上気の小紫。色にひかれて

から猫の。いつくより来りけん思ひがけなき姫君の。袖にくい付もすそにすがれば。はつと驚キ飛退《のき》て。猫と云名も恐《おそ》ろしやと。逃《にげ》給ふをおつ詰《つめ》〳〵爪《つめ》をとぎ立テ飛かゝるは。めにこそ見へね奥州が。なき魂《たましゐ》のから（71ウ）猫とは仲秋もさはしらず。驚キ三毛を引とらへ。実犬は三日飼《かへ》ば其主を忘れずといへるに。ふしぎなるは此猫。様子《やうす》有ッて奥州といへる傾城《けいせい》に遣《つかは》せしに。都より仲秋が跡を慕《したひ》是迄きたるは。犬に勝《まさつ》た逸物《いちもつ》なれ共。小蝶の前が嫌《きらい》と有レばしばらく是へと。蒔絵《まきゑ》すつたる琴箱《ことばこ》へ。琴のかはりに三弦の。かはいの三毛よとたはふれふたを引しむる。其手を取ッて姫君。奥州とやらの手飼《がい》の猫。かはゆふなふてならふかとぴんとすねたるおも持チに。

是は〳〵めいわく。在京の折からは気晴《きばら》しの遊興《ゆうけう》。此三弦も奥州が不断手馴《なれ》し物なれ共。此後逢見《あい》ぬ証拠《せうこ》には仲秋が手にふれじと。の給ふ後《うしろ》へ手飼の猫。くはら〳〵と又かけ出。ふたりの中を関の戸の逆毛《さかげ》を立テてふきかゝるを。首筋抓《つか》んで宙《ちう》に引さげこりやどふじや。今琴箱へ入たる猫爰へくるは心へずと。仲秋も仰天《げうてん》有レば。皆もこは〴〵ふた押シ明て三毛猫の。ないより（72オ）ぞつと身をふるはしおぢ中フシ恐《おそ》るれば。

詞 ム、聞へた。兼《かね》て沙汰《さた》有ル此館の猫の障碍《しやうげ》。牝《め》猫に付ィて祟《たゝり》をなすに極つたりと。地ウ指添《さしぞへ》ぬいて猫の肝《きも》先キ

ハル 一ト刀。ぐつと通せば身をもたへ。七てん八とう四足をあをち。恨《うら》めしげに仲秋の。顔つれ〴〵と打守り

フシ 其儘《まゝ》息《いき》は絶《たへ》にける。

詞 此後は障碍《しやうげ》もなふて女子共の悦び。地ウ此猫は館の障《さはり》。仲秋が煩悩《ぼんのふ》のさはりと成ルは三弦。ひとつにくゝつて裏の小庭へ捨させよと。仰にしつらい女房達サア邪魔《じやま》は払《はら》ふたり。是からはお互ィに花の下タ紐《ひも》打とけて。サア〳〵お寝間《ねま》へ〳〵と押シやれば仲秋。何はとも有レ一ト先ッ母君青砥《あをと》にも。対面《たいめん》せではかなふまじ。小蝶の前いざ来れと。座を立給へば姫君もつれて。寝所へ 三重 〽入給ふ。

謡一セイ 夫レ不変常《へんじやうや》　夜の夢も。随縁の機《き》によるとかや。咲《さき》乱れたる牡丹の園《その》に。奥州が有しすがた。影とあらはれ見へたるぞや。（72ウ）

小てふの夢

いとしさを。思へばかげにそふ物を。迷《まよ》ふが。中の迷ひとは。ちゞに物こそ　やるせなや。ふうきは花の。名なれ共。我はいやしき川たけの流《なが》れの憂《うき》を。三ッ瀬《せ》川。恋のいせきにからまれて。我魂《たましい》はから猫を。仮《かり》の浮世に憂事を。かさね〳〵の。やいばにかゝり。このくるしみに。奥州が。ながきくげんを三重《ゑ》の帯むすぶ。妹背《いもせ》の仲秋を。　したひて爰に桐《きり》のとう。源氏車も。めぐるりんゑの我きづな。思ひ出せば恋しき昔　君に。あふ夜の。きぬ〳〵。にと。めしすがりは今の身に。無明《むみやう》業火《ごうくは》の黒《くろ》煙《けふり》彼《かの》。朝込《あさこみ》の朝酒は。（73オ）煩悩業苦《ほんのふごうく》のほむらとなつて胸をこがし。継三味線《つぎさみせん》はかしやくの鉄杖《てつぢやう》。三筋の糸は三従《じう》の。身の苦《くる》しみと引かはり。見るも今更恨《うら》めしやと。捨てもおかれぬ三味線は。二世のかための二つ紋。我身も共に弾《ひき》捨し。主はつら〳〵と音《ね》は忘《わす》るなと。誓《ちか》ひし事をたがやさん調《しらべ》あはするねじめの糸の。　恋と情ヶは。ぎり有物よひくに。ひくにひかれぬ此三味線の。一チ期《ご》そはふと二世迄かけて。調《てう》子《し》合して。弾《ひく》三下りあへば。あへば嬉しき顔見るけれど。別れ思へはあはぬがましじや。あはぬつらさは

中々に。今はめいどのかしやくの苦患《くげん》綾《あや》や。錦は集熱《しうねつ》の。炎《ほのほ》となつて身をこがす。此苦《くる》しみを今爰に。思ひしらさん思ひしれと。立寄見れば妬《ねた》ましや。ふたりひよくの（73ウ）新枕《にいまくら》。仇《あた》と情をふたへ三重《みゑ》。閨《ねや》の屏風《びやうぶ》の忍ぶ摺リ。ぬいでかけたる小蝶の縫《ぬい》。模様《もやう》はなれてひら〳〵。羽風を立て飛廻り花を。諍《あらそ》ふ蝶々の。つがい〳〵が有レばこそ。こがれ羽思ひ羽ふうはふは。ふはとぬぎたる花の袖。花の姿を引かへて。因果《いんぐは》はめぐり奥州が。　はだへ忽《たちまち》から猫と。姿かはれば。気もかはり。

花の香《か》。したふ。蝶々に。飛上りてひらりと。飛くるひ。春はつま乞《こふ》から猫の。ちよこ〳〵と。足をつまだて。友呼《ともよぶ》こゑのしほらしや。夏はしげりし千草《ちくさ》の中に。卯の花〳〵。卯の花。さける〳〵杉間《すぎま》垣《がき》〳〵。まがきもませも。くゞり〳〵〳〵くゞれば色よき花の。ばつと。野なで。しこ野ぜきちく。秋は

草葉にすだく虫。機織《はたおる》音ト（74オ）の。きりはたりてふ。〳〵。きり〲す。憂《うき》を忘れて。面白き。牡《ほ》丹《たん》の花ぶさ。匂《にほ》ひみち〳〵て。花にたはむれ枝に伏まろび。恋も情も妬《ねたみ》も仇《あた》も。とんと忘れて我レが身は蝶にくるふか浅ましや。思へは〳〵花も小蝶も恋の仇。手折ば身にちりかゝり花もむくひもちり。つもつて築《つき》山の。花の木陰《こかげ》に立寄て。　蝶の花笠。いつきて見ても。能ものよいものあだな。〳〵や花に。立共まゝよ。思へば。君はつれ。なやヲ、それ。ヲ、それ〳〵じや誠にさ。　ヲ、それ。昔忍はしや。今の憂身にいくならくの苦しみうくるも誰なすわざ。名を聞だにも恨めしき。蝶よ小蝶よ恋人かへせと。飛連《つれ》。〳〵飛狂ひ追（74ウ）めぐれば。　はね打チかはし飛蝶の。むら〳〵ばつとちりしく花に消《きゆ》ると見へしがおのが名の。蝶は忽《たちまち》小蝶の前。忙然《ぼうぜん》として立居たり。　あら。妬しや腹立しや。汝に恨《うらみ》有明の。月の夜雪の朝《あした》にさへ。放《はな》れぬ中も君が為。此世を去リし奥州がなき魂《たましい》を空蝉《うつせみ》の。もぬけのから猫いとせめて。刃にかけしも小蝶がわざ。汝も来れ。共にめいどの苦患《くげん》を見せんと。髪を手にからまいて打ッや

二人 ともにしがらむ花かうつの山の。夢現《うつゝ》共小蝶の前。扨は此世になきたまかと。おそれ驚《おどろ》く乱髪《みだれがみ》づら。からみ〳〵ていざつれゆかんと引立られ。打テ共さらぬぼんのふの。犬とも猫共ならばなりなんにつくしにくしのしうねき一念。邪婬《じやゐん》（75オ）の爪《つめ》をとぎ立〳〵。飛かゝれば小蝶の前。気もきへ心きへ〳〵と牡丹の園に逃入を。何国迄もと呼《よば》はつて。花のしもとをふり上振《ふり》立テ。追廻し〳〵。二人 猶もれんぼの闇路《やみぢ》はくらき　くらまぎれ。花のうね〳〵爰に顕《あらは》れ。かしこに消《きへ》。忘執《まうしう》の霧煩脳《ぼんのふ》の霞をふんで。重《おも》きは悪業《あくごう》。かるきは花の香《か》追ッ詰。〳〵ひつかいつかみ今こそ恨《うらみ》を晴《はら》さんと。しもとをふり上ケてう〳〵。てうどうてば小蝶のまへ。花諸共《もろとも》にさんらんして。もとの小蝶と羽打チたゝき飛されば。花の下タ枝《ゑ》に奥州が。二人 死霊《しりやう》も消てから猫の死骸《しがい》はこゝに有リ〳〵と。あかつきちかき枕の上にねむりの夢はへさめにけり。（75ウ）

地ハル閨《ねや》の中より小蝶の前おそはれおびへ走《はしり》ウ出。なふ赦《ゆる》して〳〵とふるひわなゝき声を上。ウうんとのつけにめくるめきたへ入給へは仲秋も。色ウ驚キ寝所《しんしょ》を踊《おどり》出薬よ水よと呼《よば》ウはる声に。ハル青砥夫婦錦木もかけ出〳〵ウ母後室《こうしつ》。心はいかにと抱《だき》かゝへ。スヱテいたはり給へば小蝶の前。中漸々《やう〳〵》に人心地。色のふこはや恐ろしや。詞夢幻共なく奥州とやらんが死霊。猫となつて自《みづから》を苦シむると思ひしが。夫レよりは正気を失《うしな》ひ思はず声を立たりと。地ハル聞も色あへず錦木。詞扨は左様であつたかい。此事は殿様のお心を計リ兼《かね》今迄はつゝみしが。御存の通り奥州様へ弾正が横《よこ》れんぼ。おしたがひなされねば殿様のお為にならぬと夫ト蔵人諸共に。わつつくどいつ申せしかど御得心《とくしん》なかりしが。お家のお為といふによぎなく。地ウいとしや母御の手にかゝりウ死ヌる今はの（76オ）ハル時迄も。猫と成ッて殿様のお傍《そば》ウに居たいとくどき言《ごと》。其一チ念が此猫へ取付イたは疑《うたが》ひなしと。フシ語ルも涙聞ク涙。地色ハル仲秋大きに驚給ひ。色詞何奥州は死ンたるとや。地ウ其上に剰《あまつさへ》畜生《ちくしやう》道《だう》に落入。ハルながくみらいのウ憂《うき》めを見ん。上不便《びん》の者の身の果やスヱテとひたんの涙にくれ給へば。地色ウ始終《しじう》を聞て小蝶の前。ハル青砥夫婦もウ奥州の中フシ心をかんずる計也。

地色中　ウ色　詞
やゝ有て母後室。今川のお家の為に命を捨し奥州。畜生道の苦み受るもいたはしし。仏神擁護の力によつてめいどの苦患を助んと。肌にかけたる大元修法の御守リを。猫のしがいにいたゞかせたまへば。ふしぎ
ハル
や死たる手飼の猫。むつくと起て身ぶるひし。嬉しげに二声三こへ泣ヶ音も。遠くかけり行。
地色ウ　ハル　ウ　フシ
人々奇異の思ひをなし死たる猫のよみがへれば。刃にかゝりし奥州も此守の威徳にて。成仏得脱疑な
中
し(76ウ)と。の給ふ所へ件のから猫尺ばつくんなる猫魔に。飛付〲廊下伝ひに追くるを。仲秋主従
ウコハリ　ハル　下ウ　ナヲス
飛で出両方よりひつはさめば。猫も尾を立眼をいからし。じり〲と付つ廻しついがみしが。爪を
ハル　中　色
とぎ立二人をめがけ早足をふんで飛かゝるを。すは知レ者よと青砥五郎。只一抓ミと追廻れど飛鳥なんとのことくにて。一丈余り飛上り。飛越を仲秋尾筒を取て引戻せば。青砥むんずとひんだかへくつと
ウ　ハル　色　詞
捻付のつかゝれば。しかれながらにやん共云す翻かへさんと身をもがくを。びつく共動さず。頬の皮引くれば廿余りにこがらの男青砥ぎよつとし。儕レが頬法会立チで能ク見しつた。小天狗と云軽業師。何者に

頼れ猫と成ッて忍んたぞ。子細をぬかせとねめ付れはふるひ〳〵。此館は猫また屋敷と世上の風聞《ふうぶん》。猫と成ッて忍び入姫君親子を（77オ）殺しなは。御ほうびを下されうと定広公のお頼み。ヲ、よふきつぱに白状した。猫の障碍《しやうげ》も是でさらりと算用《さんよう》済ンた。したが儕レがいはれざる猫軽業《かるはさ》。めいどへの綱渡りと。下《さけ》緒《を》たくつて首にまとひ。ぐつとしむれば目をむきたし付しうんと計に息たゆる。

かゝる所へ荒川蔵人旅はゞきとくやとかず。座敷へ通れば伊予ノ介やれ蔵人帰りしか。都の様子《やうす》はいかに〳〵と。尋給へは錦木も夫トの袂にすかり付キ。とふかこふかとあんじたに何事もなふ息災《そくさい》で。よふ戻つて下タさんしたと云ッも尽《つき》せぬ嬉し泣。

始終《しゝう》を聞て蔵人。先ッは殿の御安居に某も安堵《あんど》せり。都御発足《ほつそく》の跡にて奥州殿。母嶺松尼《れいせう》親子御のさいこによつて。弾正が心もとけあの方は事落居《らつきよ》致せ共。とかく憎《にく》きは駿河殿。此上は一ッ刻《こく》も早く羽衣を尋出し。急度《きつと》悪事を糺《たゞす》べしと聞も（77ウ）あへず青砥五郎。誠に夫レよ羽衣を尋出す手がゝりを聞キ出せり。彼《かの》神ン宝を預《あつか》りし大道寺新左衛門が世倅《せかれ》新兵衛。片桐才蔵と云フ浪人《らうにん》にたよつて只今詮義《せんぎ》真最中《まつさいちう》。近々に有リ所を糺《たゞ》し羽衣をお手に入。御本ン意とけさせ奉らん。先ッ々奥にて御婚礼《こんれい》のかりの規式《ぎしき》を取リ結《むす》はん。蔵人殿には休足《きうそく》有レと。青砥が指図《さしづ》に仲秋も形見《かたみ》のから猫かき抱《いだ》き。奥州がぼたいの為。心に仏名詞には。祝言のうたひ物。声高砂や相生《あいおひ》の。妹背《いもせ》の契《ちぎ》り浅からぬゐにしの。程こそ〳〵楽しけれ。千《ち》五百の人を《を》。生《むま》しめんと神の誓《ちかひ》も荒血《あらち》の穢《けかれ》。七十五日の忌《いみ》も明キ外ト珍《めつ》らしき宮参り。水子いだかせ指懸《さしかけ》る日《ひ》傘《かさ》も。西へかたむけは心わくせき立帰り。

才太郎も機嫌《きげん》よふ只今下向《けかう》と云フ声に。ホヽほんか帰りしかと。奥より出るは此家《や》の主シ片桐才蔵。(78オ)

お嚊太義〳〵夕部から泊《とまり》かけ。けふの祝義の蒸物《むし》拵《こしら》へ。数《かず》はやらねど一町三所方々配《くば》リ重箱しまふや仕廻ずに。生土神《うぶすな》参りの供迄して嘸《さぞ》草臥《くたびれ》。何お滝。そちかるすに忌明《いみ》キの祝義くれられた。鼓《つゞみ》の弟子松木一ッ角《かく》。牢人《らうにん》とて侮《あなと》られぬ。我名を直《すぐ》に木橋で一角《かく》。古ィ弟子が及ばぬ気をはつた付届ケ。祝義のこぬ所へ配リ物よしにといへはやりはせまい。いゑ〳〵祝義かこいでも外《カ》とは違《ちが》ふ。お弟子の事なりや捨てもおかれず。か丶様と相談《さうたん》てけたやりましてござんする。ホ丶そりや出きた。今迄は下女のお滝。女房になをしたれば早そこ〳〵に心か付。是といふも何からなれば此ぼんが出きたから。其出きたは何からなれば肝煎嚊《きもいりか丶》の働《はたらき》から。いか様縁《ゑん》はふしぎな物。人もしらぬ昔語り身をふいて云《ッ》ではないが。世に有《ッ》た其以前本《ン》妻《さい》は扨置《キ》。(78ウ)妾《てかけ》足かけ幾人《いくたり》か置《イ》たれど。子は愚《おろか》狗猧《ゑのころ》も得産《うま》さず。一代男と分別しこむつかしい主取やめ。武芸の外の慰《なくさみ》芸。鼓《つゞみ》太鼓《たいこ》の弟子取て教るは苦労《くらう》なれど。独《ひとり》住の気の楽さ。縁でかな去年《こぞ》の春そなたが滝を連てきて。遣へと云たが橋渡し。肝煎《きもいり》の嚊ではない夫婦の縁を結ふの嚊。子を持ぬ以前と。子を持た今とは分別がぐはらりと違ひ。出世を望む此才蔵。立身は今の事。是は当分仲人殿へ祝義と云《いへ》ば仕様も有《レ》ど。心安さに包《つゝみ》もかへず。一角からの御祝義と嚊が傍《そば》へ指出せば。ホ丶〳〵〳〵私を仲人とは。旦那様のホ丶〳〵〳〵。終《つい》に覚へぬ金けの御祝義。手に取も今が初め。おい

たゞき申ます。お滝様の幸《さいはい》はわたしが果報《くはほう》。地ウ迚《とて》も果報の付時ならば。鼓《つゞみ》のお弟子の一ハル角様。二角様なら
猶よかろと。云に才（79オ）蔵色打笑ひ。詞なふお滝。身も生土神《うぶすな》へ参つてこふ。地色ハル成ル程そふがよござんしよ
と。ウ身がるに立て後より是お羽織《はおり》中と打きせて。詞脇指計リでお参りか。いや常とは違ふ祝義の社参。腰が明ィ
ては見ぐるしいと。地ハル刀を取て才太郎。中まだねているか目をさませ。詞土産《みやげ》には何やらふアノつがもない。百
日にもならぬ子に何の土産所ぞい。ハ、、、持付ぬ子の親無調法〳〵。地ウ下向してから抱《だこ》ふぞやと。ハルつむり
撫《なづ》れば目をさまし。泣ヶはウあれ又機嫌《きげん》迄そこなふてじや。其子ウこちへと中抱《だき》取ッて。ウいとし者ウを誰レがいのウ憎《にく》
いとゝ様たゝいてやろ。ハル機嫌直しにさあうま〳〵と。フシふくめつ父の才蔵もほや〳〵笑《ゑみ》て出て行。
詞ほんに真《しん》からいとしいやら。あるきやう迄ひよこ〳〵なさる。お滝様悦ばしやんせ。世間の世話《は》にも初《うい》の
子に男を産《うめ》ば。鉄碇《かないかり》おろしたと云まするお前は（79ウ）大船《ぶね》。乗《のせ》心のよい旦那様。忌もあいたりや今夜か
ら。毎晩《まいばん》お乗なされましよ。ホ、、、、フシと打笑ふ。

地ウ こりやおめでたで賑《にぎ》やかなと。ハル 門よりはいる弟子中 二人リ。ウ お滝は見るより ハル 杢平《もくへい》様一角様よふ 色 お出。詞 先キ程は御叮嚀《ていねい》に御祝義に預リ。主シもたんと悦はれましてござります。いや叮嚀とは痛《いたみ》入。御存の牢人《らうにん》寸ン志計。地ウ お礼はかへつて迷惑《めいはく》と。ハル 挨拶打消《けし》コレ 色 一角そこのいたり。詞 同じ弟子でも此杢平は合ィ弟子。礼を云ッも順《じゆん》が有ル庄や殿の御子息《しそく》じやぞ。二匁の祝義が不足《そく》なら不足なといわつしやれ。五リンや一分ンは増《まし》てやろ。身体ずんどあたゝかなと。地ハル いふ身体のあたゝかよりおの フシ が心ぞあたゝかなる。

詞 いやお腹立られますな。爺御様《てゝご》のお捌《さばき》此在所に住《すま》居すりや。内証《ないしやう》何角《なにか》皆お世話。外カの弟子衆と格別《かくべつ》。お前を立テて礼云ぬ。たゞしは云《いへ》かへ。ア、云ッまい〳〵甚《はなはだ》（80オ）ゑとく仕つた。シテお師匠《しせう》には。アイ忌明《いみあき》のお礼に。ムウ墓《はか》参りか。ヱ、祝ィ日にいま〳〵しい。コリヤ誤《あやまつ》た。廟産《べうさん》じやのアレまだいの。社《しや》参《さん》をしらずか。ヲ、其社檀《だん》〳〵。毛虫の留守《るす》はおれが仕合。地色ウ さらば稽古場《けいこば》へ参つて八人芸《げい》ハル 仕ッらんと。ウ 襖《ふすま》ちやんと立テ切て謡《うたひ》やら音頭《おんど》やら。ウ 太鼓《たいこ》小鼓《つゞみ》めつた打。ぴい共得ふかぬ ウ 横笛構《よこぶえかま》へ。すうやす フシ またに息勢《いき》はれば。地ハルお滝は心得色是か丶様。詞お弟子方タも見へたればもふ用《よう》もない程に。いんで休《やす》んで下タされ。そんなら左様。地色ウ是にゆるりとハルお弟子様。フシ又明日と出て行。

地ハル願ふてもない折からぞと。一ツ角お滝を色小陰《かげ》へ招《まね》き。詞コレ妹若葉。今改《あらた》めて云フに及ばず。我々が主人今川伊予ノ介仲秋公。禁裏《きんり》よりお預ケの神ン宝。天の羽衣失しによつて。御家督《かとく》立タず剰《あまつさへ》。親大道寺新左衛門殿。役目に付て不慮《りよ》の御最期悔《くや》むにかいなし。某は若年より勘当《かんどう》受。(80ウ)其節《せつ》其場に有リ合さず。其方に仰《おゝせ》置カれしは。片桐才蔵と云フ牢《らう》人ン有ラば。夫レにたよつて全義《せんぎ》せよ。兄新兵衛と心を合せ羽衣を取リかへし。地ウふたゝびお家を立テてくれ。ウ勘当も赦《ゆる》すといへどハル有がたき御遺言《ゆいげん》。中骨髄《こつずい》にこたへてフシ忘られず。地ウ才蔵といふ名を聞よりハルそちは奉公。ウ某は表向《おもてむき》から弟子となり。心を砕《くだ》き窺《うかゞ》へ共。色夫レぞと思ふ証拠《せうこ》もなし。詞そちにとへば。羽衣を盗様なそんな人ではないといふ。夫レか真《まこと》か但シは又。主親の恩を忘れ。子にひかされてしらぬといふか。地ハルサア心ン底《てい》をいへ聞んと。ウ兄が詞のはし〴〵は。胸に釘《くぎ》さす心地して。スヱテしばしいらへも

中
ないじゃくり。

地中ウ　ハル
あぢきないは女の身の上。去年の春三保が崎の明神で。と、様に別れし後。漸々お前に廻り逢仕馴ぬ手業
ウ　　　　　　　中ウ　　　　　ハル
も奉公も。ふかい望有ればこそ。心に任せぬ世の有様。才蔵殿の気に背けば此家に奉公な
　　　　　　　　　　　　　　　　　中ウ　　　ハル
らねば全義も（81オ）ならず。ハテ主親の為には君傾城にも成ルならひ。帯紐解ば気をゆるし心の底も明カ
色詞　　　　　　　　　　　　　地中ウ　　　　　　　　　　　　　　　　ハル
されんと。思ふより終添寝して。因果な種を身にやどし重る月日の物思ひ。湯共水共しれぬ内。いつそ共
ウ　　　　　　　　　　　　　　中ウ　　　　　ハル　　　　ウ　　　　ウ
思ふてみたり。イヤ／＼無事に産うむならば。子にほださる、親の習ひ。隠す心も有まいと。血を分ヶし子を
ウ　　　　　　　　　　　　　　　　　　　　ハル　　　ウ　　　　　ウ　　ウクル
おとりにして。悪事を見出さう聞出さうと。思ふは誰ぞ仮にも夫ト。つま子をそでに水くさい。わしが様
ウ　フシ　キン　ノル中ハル　　　　　　　　　　　　　　　　　　上
な女房が又の世にもありやせまい。兄様には疑ひ受ヶ。云訳する程恥の恥。親の遺言思はず死たいはい
のと身を震し。声も得立ずかこち泣キ目も当られずいぢらしゝ。
詞
ヤア死たいとは愚々。才蔵が心底明白に糺す迠は。悪縁共云ィがたし。併七人の子はなす共女に肌を赦

すなと云ッではないか。地ウ此上ながら油断《ゆだん》なく心を付ケよ妹と。ハルなだむウる後《うしろ》に杢平《もくへい》が。色ヤア見付ケたと云ッ声に。

ハル妹ははつと驚《おどろ》け共ウ兄は色騒《さはが》ずとぼ（81ウ）け顔。詞是杢平見付ケたとは何見付た。ヲ、師匠《しせう》のおか様こま付ケて。

けふの祝義の酒ほるのじや。独リ呑とはむごいぞや〳〵と。地ハル取ッても付カぬ推量《すいりやう》に。ふたりがウ心も色落付イて。

詞エ、大事の手目を見付ケられたお内義様。地ハル一トちろりかんなされとてんでに。ヲクリ〽手伝《てつだ》ふ其折節。

地ウ爽《さはやか》なる旅装束《たびしやうぞく》供人連《つれ》たるハル侍相具し。ウ立帰る色片桐才蔵。詞コリヤ女房お客が有ぞ見ぐるしい物取リ退《のけ》よ。地ウ先ッ

お通り遊ばされいとハル客《きやく》を上座にすゝめ色やり。詞ヤア杢殿一ッ角殿。打揃《そろ》ふてお出は内々噂《うはさ》の神ン事能《のう》。近ン日

と承れば其下タ稽古《げいこ》の心でかな。見らるゝ通り俄《にはか》の珍客隙入も計《はか》られず。日が暮《くれ》てからお出なされ。地ウ夫レた

ばこぼんお茶ハル上ま色せい詞女房共。イヤ御用有ラば遠慮《ゑんりよ》に及ず是におつて。イヤサ〳〵用はない是非《ぜひ》かへられ

よと。地ウ云ッに一ッ角力ラなくきやつ曲《くせ》者と侍を。ハルウ眦《しりめ》にかけて立出れば杢平は膳棚《ぜんだな》の。ちろウりを眦ウにかけなが

フシら咽《のど》をならして帰り（82オ）ける。

地ハルお滝は夫トの袖を引キ終《つい》に見なれぬお侍。どなたウ様で色御ざんす。詞イヤ御存知《ぢ》ない筈《はづ》。才蔵殿とは訳《わけ》有ッてお近カ付キ。駿河守定広に奉公致す。梶田《かぢた》民部《みんぶ》と申ス者。お見しり置カれ下タされう。ヤア民部が家来共。身はしばらく是に居て御用談《だん》ずる其間。地ウ宿《しゆく》はづれのハル茶店《ちやみせ》へゐて色待ッておれ。詞イヤハヤ御家来置キ所もない。牢《らう》人の廠《あばらや》面ン目ない仕合。イヤ間所が有ッても彼等《かれら》は置れぬ。御内室は格別《かくべつ》才蔵殿近カふ〳〵。此度使者に参つたは。主人定広兼て才蔵殿。頼母《たのも》敷《しき》心ン底《てい》を見込。一チ大事を頼まれしに早速《さつそく》其功《こう》を立テられ。イヤ此道行べん〳〵と申スに及ばず存ジの事。貴《き》殿《でん》盗《ぬすみ》置れし彼《かの》羽衣の義に付ィて。伊予ノ介仲秋京都の首尾《しゆび》さん〴〵。漸々《やう〳〵》と枢規《すうき》を頼み。父今川了俊一周忌《しうき》過る迄。羽衣を尋出す日延《のべ》の願ヒ。雲の裏《うら》さがして天人に借《かつ》てこふはいざしらず。何の出よふ日延も（82ウ）けふあすに成たれば。地ウ仲秋は切腹かウ首尾《しゆび》よふて遠島《ゑんたう》。ウきやつをかた付ケ仕廻ふたハル跡で。ウ定広尋出せしと羽衣を指シ上る。ウ御褒美《ほうび》には駿河の領主《りやうしゆ》。ウする〳〵としてやる様に。ウなされたは色才蔵殿。詞事済ンだ其上では。千三百石御知行の御墨付キ。先キ達ッて渡し置れたに相違《さうゐ》はない。又其殿より此度の頼ミ。人に洩《もら》さず受ヶ取に参り次第。羽衣を渡さんと血判《けつぱんすへ》居た固《かため》の一チ札。則《すなはち》持参ン仕ッた。羽衣と引かへ才蔵殿をも同道して帰れとのお使。御内室にも悦はれよ。千三百石取リの奥様。先ッおめでたふ存ると使者の口上お滝は恂《びつく》り。才蔵は黙然《もくねん》と聞キ居たりしがコレ民部殿。御口上の趣《おもむき》具《つぶさ》に承知《しやうち》。併《しかし》肝腎《かんじん》の義が相違《さうゐ》〳〵。相違とは何でござる。イヤサ其天の羽衣才蔵が手にはない。無ィ物は渡されぬお返ン事はかくの通り。

民部ぎよつとし。イヤないとは云さぬ。コリヤ是を見い才蔵。我書ィて血判すへた此一札。鉄石《てつせき》を以ッて（83オ）固《かため》たる蔵なり共大地の底《そこ》を堀穿。羽衣を取ッて参らせんと是に書ィたに少ッ共違《ちが》はず。宝蔵の底堀《ほり》穿《うがち》。唐櫃《ひつ》共に打チ砕《くだい》て有ッたれば。我取たには違《ちが》ひない。夫レに今更ないなど丶はムウ聞へた。駿河一ッ国釣《つり》替《がへ》の羽衣。千三百石では安い物と知行をしぼつて取ル合点か。夫レなら夫レと云フたがよい。座興《ざけう》も事に寄リ申ス。イヤ座興ではない某も知行がほしさ。一チ命を的にかけ念なふ忍び入たれ共。羽衣が中にない無ィからは知行も取ラれず。正真の骨《ほね》折損《ぞん》。千三百石の墨付キ取ッて置ィてゐきがない。地ウ幸返進《へんしん》仕ると懐中《くはいちう》よりハル取出し。ウ是を返せば此方より遣《つか》はした其一ッ札も反古《ほく》同然と。ウ取より早くずん〳〵に引さいて色捨たりけり。詞民部いかつてヤア渡す物を渡さぬのみか。一札を引さいたは約束《やくそく》をでんぐりかへし。盗取ッた羽衣伊予ノ介へ渡したな。ハ、、、蟹《かに》は甲に似《に》せて穴《あな》とやら。根性に引くらべ伊予介へ渡したとはかた（83ウ）腹いたし。コリヤやる物が有レは定広におますはい。使者に立ッた我規模《きぼ》には。才蔵が一ッ札と定広の墨付キ。右から左リへ取リ替《かへ》た夫レ持ッて早帰れ。ヤア得手勝手な理窟《りくつ》立テ。地ウ羽衣のかはりには才蔵がハル首取ラんと。ウづはと抜《ぬい》て切ッてかゝる刀の柄《つか》。ウ腕首《うでくび》共にかい抓《つかみ》ぐつと捻《ねぢ》れば五体もすくみ。ウ顔をしかめて色得動《うご》かず。ハ、、、、詞才蔵か首の骨はがいにかたい。篦同然《へらどうぜん》の是では切レぬ。へし折ッてぼいまくるもいはれぬ殺生《せつしやう》。さゝしていなす鞘《さや》出しおれと。地ウ手を持チ添《そへ》て鯉口に抜身を納むるハル此場の了簡《りやうけん》。ウ突《つき》飛されてもぢ〳〵と門トへ出品に戸口のしまり。ウ表の構《かま》へ隅々《すみぐ》迄。ウとつくとウ民部が胸算用フシ意趣《ゐしゆ》を含《ふく》んで立帰る。

ヱ、どんな奴《やつ》で日を暮《くら》した。女房行燈に火を灯せと門は手づから戸を引立。爰で緩《ゆるり》とたはこ盆一ッふく致そと匍匐《ねはらばう》。夫ト の顔ばせしげ〳〵と打チ守り吐息《といき》つぎ。是（84オ）申シ。今民部との詰開《つめひら》き。羽衣とやら云ッ宝が。蔵の中になかつたが定《ちやう》かいな。へ、〳〵賢《かしこ》い様でもさすがは女子。外から明ぬ蔵の内夫レがなふてよい物か。すりや羽衣が。有ル共〳〵幸表もしめて置ク。いで取出して拝《おがま》せんとずんど立ッて納戸の壁。おせばひらく其内より堅地《かたぢ》に蒔絵の箱取リ出し。サア是じや戴《いただけ》と真中《まんなか》に直し置キ。今年シは所々に開帳だらけ。次手ながら羽衣明神。お紐解《ひぼとき》仕ると蓋《ふた》押シ明れば。異《ゐ》香《きやう》薫《くん》じ実も妙《たへ》成ル霓裳《けいしやう》羽衣《うゐ》。日ッ月星晨《せいしん》あざやかに七ッ宝を持ッてかざりたる。瓔珞天冠《やうらくてんくはん》照輝《てりかゝやけ》ば。お滝ははつと手を合せ。只伏拝む計也。何と結構《けつかう》な物ではないか。是さへ有レは駿河ノ国誰《たが》取ふと儘《まゝ》な事。ムウ扨は有ル物をないと宣《のたまひ》しは。仲秋様へやる心か。いや遣《やら》ぬ。そんならやつぱり定広殿へ。いや夫レへもやらぬ。あのふたりを除《のけ》て外カへかゑ。イヤ外カで（84ウ）はないかはゆい坊ッにやるはいのふ。エ、イと女房は輌皃《あきれかほ》。イヤサ先キ程も云ッた通り。

子を持タぬ先キと持ッての今の分ン別は。天地雲泥《うんでい》の相違。駿河ノ守と伊予ノ介争《あらそ》ふ家国。中から取て此才太郎を国の守。ちつぽけな駿河の主ジ。赤子大名どれだかふと。膝《ひざ》へ取リ上こりやなむ三。国の守が早不作法《さほう》。爺《とゝ》が膝《ひさ》を田子の浦にしおつた。尿《しゝ》たれ大名ごさんなれ。襁褓《むつき》よべゝよと取々に親の心の闇《やみ》ふかし。大道寺新兵衛勝房《かつふさ》。昼《ひる》の様子を妹に問談合《といだんかう》も兼てより。心をしめし合せ置ク青砥五郎藤次を誘引《ゆういん》し。約束の下稽古《したげいこ》打合せに参りしと。門《かど》に音トなふ声聞より羽衣の箱取かた付ケ。よふこそ〳〵此方にも松木殿。サアおはいりと戸をひらき次なは誰か。イヤ御存ない筈。神ン事能の当日杢平に用事出来。俄《にはか》のかはりに事をかき。幸某入魂《じゆっこん》な牢《らう》人衆。終にお（85オ）めにかゝらねど神ン事は晴業《はれわざ》。脇能の羽衣手配《くばり》聞イて貰《もらい》たい夫レ故同道仕つた。夫レは珍重。才蔵が見苦《ぐる》しい稽古《けいこ》場おめにかけう。お近付にもあれで〳〵。夫レ女ナ共一ト花香《はなか》茶袋かへてしんぜませ。イヤ御内証必お世話やかるゝなと。詞は他人妹に兄が心を通する眴《めくばせ》。大道寺共青砥共。しらぬ片桐才蔵がふたりを。伴《ともな》ひ入にける。

妻はつきせぬ。物思ひきのふ迄もけさ迄も。羽衣を盗しは外ヵの人でも有レよかし。さすれば此子も我子と成ッて。育《そだて》上ヶんと楽しみし心頼ミも絶果《たへはて》て。別レにやならぬ此しだら。兄様の今の眴今夜は是非《ぜひ》の手詰《てづめ》としれた。大道寺新左衛門が。娘と名乗ッて夫婦の縁切ふ。イヤ仮《かり》にも夫ト女房の口から。白《あからさま》地にヲ、悪は延《のべ》じやマア暫く。イヤ延してては親兄の心に背《そむ》く。夫レでも云れず隠《かく》しもならず。ア、どふしたらよかろふと思案半に始る稽古《けいこ》。兄は（85ウ）小鼓《つゞみつれ》連は手鼓大どの役。太鼓と口笛才蔵が。舞のかゝりを謡出す。なむ帰命月《きめうぐはつてんし》天子。本地大勢至《せいし》。東《あづまあそ》遊びの舞の曲《きよく》。ア、打チ物こそ多《お》いに羽衣は何事ぞ。謡の文句能の心は。伯猟《はくりやう》と云フ猟《りやうし》師が隠《かく》した羽衣。天人か取かへした其悦の駿河《するが》舞《まひ》。我々が為には本ン望《もう》とぐる天の告《つげ》。才蔵殿が打ッ太鼓は。天の罰《ばち》が当つた物と。思へばいとゞやるせなくそゞろ涙にくれけるが。

ア、そふじや此身此儘《まゝ》別れては。仮《かり》にも夫婦のぎり立タず。比羽衣を自《みづからき》着て天人の姿となれば。天に連《つれ》添《そふ》夫トもなし。下界につながる義理もなし。あの稽古《けいこ》の果ぬ中早く立チ退《のき》此羽衣。仲秋様の手に渡す。天女の装束恐れながら。戴。天冠《ぐはん》。玉の。笄《かんざし》。或は。天津み空の緑《みどり》の衣。又は春立ッ霞の衣。色香《か》も妙《たへ》なり乙女《おとめ》の裳《もすそ》。花を　かざ。して。立出る。

姿は凡人《ぼんにん》なら（86オ）ね共。心はさすが恩愛《おんあい》の。離《はな》れがたなき此緑《みどり》子。東西わかねば今別るゝ。際《きは》共しらずよふ寝ていやる。是母は今いぬる。此世ではもふ逢《あは》れぬ女子の子でも有ルならば連て行に。男の子は男の物添《そふ》事も叶はねば。せめて名残に此乳房呑《ちぶさのん》でたもやと抱《だき》上る。母の姿のかはりしにや。恐れて乳豆《まめ》に呑付ヵず。ヲ、さとい子のちゐ付ィて。見違へてのみやらぬか。是かはりはせぬ母なるはと。天冠を脱《ぬぎ》捨れば皃になじみの乳に呑ミ付。子は泣キやめど果しなき。母は。涙にむせかへりはなれ。がたなき其ふぜい。立て見居て見身もだへし。今はさながら天人も。羽　なき鳥のごとくにて。何と詮《せん》方泣キ苦《くる》しむ。天上の。五衰《すい》も。　かくやらん。

去程に。時移《うつ》つて天の羽衣。浦風にたなびきたなびく。三保の松原　はら〳〵涙。はらからの。兄様了箇ない事か。うさもつらさも身ひとつに。うき島が雲（86ウ）の。足高《あしたか》山や富士《ふじ》の高根。かすかになりて。天津みそらの。霞にまきれて失にけり。

稽古《けいこ》おはれは叶《かな》はじと水子を抱て立出る。こりや〳〵女房何国《いづく》へ行と。才蔵に声かけられ行も行れすふり返り。ヤア女房とは愚《おろか》なり。此羽衣を取リかへし伊予ノ介にあたへよと。帝釈《たいしやく》天の仏勅《ぶつちよく》を蒙《かうむ》り。しばらく下界にまじはれど今天上に立帰る。目《ま》のあたり成ルふしぎを見て悪心を改《あらた》めなば。其身も安穏《あんおん》子も安ン穏《おん》。妻もさぞ悦ばん。此通リ異《ゐ》見《けん》せいとの給ひし仏ッ勅は背《おむ》かれまい。思案《しあん》仕《し》かへて下さんせと詞はなまめく天人の。しらはけとこそしられたり。

ヤアどこへ〳〵其羽衣は才蔵が命の糸緒《つりを》。やつてはならぬと飛かゝり。取て引ッぶせ装束《しやうぞく》ぬがす間もなく。間ィの襖《ふすま》を蹴《け》破ッて。りゝしき二人が捕手《とりて》の早縄前後より立挟《はさみ》。伊予ノ介の下知によつて青砥五郎（87オ）向ふたり。又某は汝故に相果《はて》し。大道寺新左衛門が嫡子《ちやくし》。新兵衛勝房。妹若葉と心を合せ本望とぐる今日只今。腕《うで》を返せさあ〳〵とすきもあらさず詰《つめ》かくるに。ちつ共さはがず片桐才蔵。女房を引起し塵《ちり》打はらひ。ムウ扨は聞キ及ふ。新左衛門の息女よな。功《こう》有ル武士の種《たね》程有ツて。奸曲《かんきよく》強気《がうき》の此片桐。出し抜《ぬか》れしは天晴《あつぱれ》〳〵。手柄《てがら》を感《かん》して暇《いとま》をやる。男の子は夫トに付クと。取て引寄セ指添《さしぞへ》ぬかんとする手にすがり。是早まるまい待チ給へと漸々《やう〳〵》に引キ離《はな》し。覚悟《かくご》極めてなさるゝ了簡《りやうけん》。悪いと思ふてとめはせぬ。さすが新左衛門が娘じやと誉《ほめ》らるゝ程猶恥かしい。仮《たとへ》悪でも非道《ひどう》でも連添《つれそふ》中の隔《へだて》なく。心の底《そこ》迄あかされし夫トは夫トの道が立ツ。其心をそでにして悪事を顕《あらは》す女房は。恩《おん》もぎりも打忘れ穢《けかれ》たる根性《こんじやう》に。勿体《もつたい》なや天女の装束《しやうぞく》。外面似菩《げめんじぼ》（87ウ）薩内心如夜《さつないしんによや》叉《しや》夜叉はまだしも。人間の皮《かは》かぶつた此畜生《ちくしやう》一ト刀に切ツても捨ず。隙をやるとのお情の詞に寝刃《ねた》はなけれ共。我身の科《とが》を突《つき》つらぬく剣キの山の苦しみも。今のつらさによも尽《つき》じとかはと伏て。嘆キしは。断《ことはり》と。こそ聞へけれ。

イヤ夫婦の義理を思ふは不了簡。初一チ念を違《たが》へず悪事を見出した。そなたの身の上辱《はづかし》い事ちつともない。

大道寺殿青砥殿。両人の手前面目《めんぼく》ないは此才蔵。色と我子に眼くらみ欲《よく》にふけりし痩浪人《やせらうにん》。たとへにひくは緩怠《くはんたい》ながら。尊氏将軍《たかうぢしやうぐん》の御舎弟左兵衛督直義朝臣《しやていさひやうへのかみたゞよしあそん》。大塔《とう》ノ宮を始《はじめ》奉り新田《にった》楠《くすのき》亡《ほろぼ》し給ひ。天下一統《とう》に治《おさま》りしが。大塔宮の執念魔道《しうねんまどう》に入て天狗と成リ。ふたゝび代を覆《くつがへ》さんと。直義の奥方の腹にやとつて生れ出。其子に迷《まよ》ふ親の欲《よく》直義忽《たちまち》謀反《むほん》を起《おこ》し。兄尊氏と天下を諍《あらそ》ひ（88オ）終《つい》に其身を亡し給ふ。恥辱《ちぢよく》は今の代にとゞまる。太平記の六本杉と人もしつた天狗の所為《しよゐ》。此才蔵も世倅《せがれ》に迷《まよ》ひ。頼れし義を忘れ欲《よく》にほうけて恥をかく。天狗の事を思ふに付ヶ。兄弟の親大道寺新左衛門。羽衣故にさいごと聞。天晴《あつぱれ》忠臣の魂《たましい》天狗《てんぐ》よりも速《すみやか》に。才蔵が子と生れ出。某に欲心《よくしん》のおこさせ。駿河ノ守へ約束《やくそく》の義《ぎ》を違《たが》へ。我子にやりたい天の羽衣。おのづから仲秋殿の手に入ル様に成行しは。忠臣の一チ念ンとゞきし物と思はるゝ。いづれもの為によい世倅。才蔵が為には仇《あた》。我手にかけて腹切ん世倅こちへと寄ル所を。新兵衛立隔《へだゝ》りヤアどこへ〳〵。此子に指《ゆび》もさゝせぬと妹共に後《うしろ》にかこへば。ヤア敵の世倅を用捨《ようしや》する新兵衛の心底《しんてい》いかに。ヤア敵の世倅とは誰ヵ事。其方が今云れた此才太郎は。親新左衛門が再来《さいらい》妹が腹《はら》から生れたれば。兄が為に（88ウ）は甥《おい》か親かどちらにしても殺させぬ。才蔵何ンと合点がいたか。ハアはつと計リ頭《かうべ》をさげ。取ル所なき業《ごう》人ンを兄弟の縁者といいたはり。甥の親のと名を付て下さる御了簡《りやうけん》。忝いと手を合せ一ッ生泣ヵぬ才蔵が。

嬉し涙のとめどなくむせかへ。りたる計也。

此上は御両人我首取て給はれと。襟《えり》くつろげて待かけたり。若葉絶兼《たへかね》すがり寄おそいか早いか自ラも。ながらへては居ぬ心同じ刃《やいば》に死出《しで》の山。未来《みらい》の契りと云せも果ず取て突退《つきのけ》。イヤ悪い合点。新兵衛殿の了簡にて助かりし才太郎。子じやと思へは夫婦の義理合。親と思へばぎりはいらぬ。年寄は赤子も同然ン乳がなふては養《やしな》はれぬ。親につかへると思ふてと㒵を見合せ諸共に。わつと嘆けは大道寺。青砥も心思ひやり

感涙《かんるい》。袖をひたせしが。

五郎藤次指寄ッて。コレ才蔵殿。一旦敵に組有リといへ共。身（89オ）の欲《よく》に約《やく》を変《へん》じ羽衣を渡さねば。駿

河ノ守との手は切レたり。今又其欲心を改め善心に立帰り。違背《いはい》なく羽衣を仲秋公へ上ケらるれば。欲心かへつて大忠臣。地ウ憚りもなし恥辱《ちじょく》もない。ハル仲秋公へ奉公有レと新兵衛諸共。道理をウフシ立様々なだめとゞむる所へ。

地ウ昼《ひる》の仕かへし夜討にせんと。ハル梶田は手の者大勢色責《せめ》寄。詞ヤア〳〵才蔵の大盗《ぬす》人。羽衣を渡せばよしさなくば家台《やたい》一トくるめに。こなみぢんに打砕《くだ》くどふじやく〳〵と呼はつたり。才蔵心得二人をこかげに立忍ばせ。是々梶田殿かそこつ有な。羽衣を渡す受取て帰られよと。地ウ門を明れば我ハル先にと一チ度に崩《くず》れ入ル色所を。ウ心得青砥ハル大ウ道寺。切ッ先ならべて追まくればフシ足もたまらず逃《にげ》て行。

地ハル民部はさすがふみとゞまつて才蔵に渡り合。二タウ打三打うつぞと見へしが真向《まつかう》かけて色切さげられ。ウのつけに伏《ふす》をおこしも立ず骸《からだ》にどつかと（89ウ）ハル打またがり。とゞめのウ刀一トゑぐり二人は帰て見るよりも。ウ奉公初めのお手柄《から》ぞふと讃《ほむ》ればにつこと色打笑ひ。詞ヲ、手柄次手に今一チ人。敵を亡《ほろほ》す是見給へといふ地ハルより刀を取直し。腹へくつと突詰《つきつめ》たる自害《じがい》に驚キ悲しむ若葉。青砥様や兄様の結構《けつかう》な御了簡。悦ぶ間もなくむごらしい。此有様はどふぞいのと抱《いだき》付て。泣居たる。

詞 いやとよ天子より御預ヶの天の羽衣。盗取たる大罪《ざい》人獄《こく》門ンにさらさるべきを。さはなくして此自害。是もいはゞ命の盗人。御両人の情にはあの世悴《がれ》を人となし。片桐の名字をつがせ誠有仲秋公へ。地ウ つかへる様に

ハル 頼み入ルと。口は立派《りつぱ》に目は涙若葉は嘆きにくれながら。夫トの血汐紅《ちしほくれない》のせなへ抜たる切ッ先に。我髻《もとゞり》を押あてゝふつつと切たるかうがい髷《わけ》。天の羽衣引かへて尼の衣を身にまとひ。おまへ（90オ）の跡をとむらひます修羅道《しゆらだう》の苦患《くげん》を遁《のが》れ。成仏し給へ南無あみだ。なむあみた仏の声の下。ふへかき切てあへなくも

フシ 其儘《まゝ》息《いき》は絶《たへ》にけり。

地ウ 此上は迚妹を諫《いさ》め。なきから隠《かく》す新兵衛青砥五郎は羽衣の。恐れも有や有つる箱に。取納めても納まらず又責《せめ》寄スる残党原《ざんとうばら》。取ッてかへして込入たり。詞 ホ、鼓《つゞみ》の師匠《しせう》の追ィ善ン軍打縁も有サアこい〱と。地ハル 矢声をか

けてかたはしから余さず洩《もら》さず打チ囃子《はやし》。ねんのふ脇能弓矢幡《わきのふゆみやはた》。武勇の修羅事鬘《かつら》事源氏供養《くやう》も後世の為。君が為には此羽衣千ン秋《しう》番ン組打納ッて。家の栄《さか》へを三保が崎。神の恵に汚名《お》イを遁れ。源清き今川氏今に。其名ぞいちじるし。

第五（90ウ）

真《まこと》は偽《いつはり》を覆《おゝ》はず曲《まがれる》は直《なをき》を隠《かく》さず。今川伊予ノ介仲秋。私なき忠孝父祖《ちうかうふそ》の家名《かめい》を輝《かゝやか》す。天の羽衣帰り入らせ給ひければ。本ン意も叶ふ遠江浜名を出て上洛《しやうらく》有。出世の首途《かどいで》先キ備《そな》へ宝の唐櫃《からひつ》かき荷ふ。警固《けいご》の綺羅《きら》も吉田の宿。岡崎宮も越行ケば都も近き草津の里。姥《うば》が茶屋に荷物をおろし。暫く休らひゐる所に。

目計リ光る頬《ほう》かぶり。雲突《くもつく》様な男共息杖《いきづへ》かたげ寄リたかり。コレ上下の衆。けさから隙で一盃《ぱい》も引ッかけぬ。

酒値《さかて》程ありや瀬田迄やる。夫レから先キはぜゞ次第。しまな荷物《にもつ》じやじや石場迄小揚《あげ》取ていかぬかい。いやでおりやる。小揚取て人に酒呑マそより。名物の五文餅《げんこどり》してやつて腹も荷物も持チつめる。ハテしはい事云はい。銭がおしくば取いでも大事ない。今朝《けさ》からのまん直《なを》し持てやらふ。地色ウ 皆こい〳〵と荷物の棒《ぼう》に手をかくれば。ウ 宰領《さいれう》の侍腹 色 を立。詞 ぞんざいな雲助めら。常並《つねなみ》（91オ）の商人荷物と思ふか。忝くも今川伊予ノ介仲秋。御家督相続《かとくさうぞく》の神ン宝。天の羽衣此衛府《えぶ》がめにかゝらぬか。穢《けがれ》不浄《じやう》のむさいやつらそこ立退ケ。と切《きつ》刃《ば》を廻してねめ付クる。ハ、ハ、こりやおかしい。皆の者あれ見たかちつくりとあぢやるはい。コレ二本さいたと思ふてぎくつきやんな。此海道《かいどう》を股《また》にかけるこちとら。侍をこはがつては嚊《かゝ》が口が養《やしな》はれぬ。わごぜも人おれも人。昇《かく》とかゝるゝとの違《ちが》ひ計リ。同じ人間穢たとは無礼《なめ》たわろ。ヤア五助めんどうな相人に成ない。言懸《がゝ》りじや持タねばおかぬと。地色ハル 寄ルをせいする宰領人ン足。ウ ヤア邪魔《じやま》ひろぐなとぶちのけなぎ立テ。ウ 息杖に仕込の刀抜キ放せば。ウ 命にかへる宝はなしと。荷物を フシ 捨て逃ちつたり。

地色ウ さつてもうまし。ウ 手も濡《ぬら》さずしてやつたと頬《ほう》かぶりぬぎ捨れば。ウ 山名が郎等綴喜《らうどうつゞき》監物《けんもつ》。ウ 駿河ノ守が手の者共しすまし顔に色 口を揃《そろ》へ。詞 扨々我《が》を折ッた監物殿の省《やつし》事。道中猿《ざる》も一ッ盃喰《はいくふ》。せりふ（91ウ）の塩梅《あんばい》。加減《かげん》やうしてやつたお手柄《てがら》〳〵。イヤサ宰領《さいれう》めが臆病《おくびやう》はしらいで。よつ程気骨《ほね》折リ申た。骨折がいは先ッ見へた。主人達のお悦ヒ急《きう》におめにかけたいが。念の為じや中ヵ明ヶて見まいか。是は尤サア見よと。地色 ウ 上をしたみし細《ほそ》引キ封印《ふうゐん》切リほどき。ウ ふた押シ明ク る櫃の中。ウ ぬつと出しは大道寺新兵衛。ハル ウ 是はと軻《あきれ》飛退《とびのき》しが。ウ 弱《よはみ》を見せぬ綴喜監物ヤア毛二才めがのぶとい色 方便《てだて》。詞 マアうぬか名は何ンと云。ヲ、聞たくば云て聞せん。忝くも羽衣明神につかへ奉る末社の新兵衛勝房。こりややい神は見通し弾正定広汝らに云ィ付ヶ。羽衣を奪《ばい》取ル間急キ参つて退治せよと神ン勅によつて向ふたり。神ン罰《ばつ》遁ぬ観ン念せよと八方に眼をくばり。地色ウ 透《すき》もあらさず詰かくれば。ウ 奴《きやつら》等も遁《のがれ》ぬ死《しに》物狂ひ前ン後よりはた〳〵と。ウ 切リ込太刀筋かいくゞり〳〵。ウ 抜合せたる剣の早業《わざ》。ウ 四人を相手になぎ立切立大げさハル 梨割《なしわり》車切。ウ 瞚《またゝく》間に定広が家来三人切たをし。中 ウ つゞいて進ム監物を（92オ）馬手《めて》にあしらい弓ッ手にさゝへ。刀はつしと打落トせばこはかなはじと逃て行。がんづか抓《つか》んでひつくり返し。せほね踏付ヶ早縄かけぐゥぐゥぐつとくゝし上。者共参れと云ッ声に以前の宰領《さいれう》人足共。爰かしこより立出る。新兵衛勝房打笑ひ。汝らが空臆病《そらおくびやう》こつちから喰すをしらず。手もりくふた此罪《ざい》人此明キ櫃へこいつを入。都へ通しの上下の者早追《おい》。早打手ばしかく。取て打込見ミふた引しめ。敵の工《たくみ》を顕はす証拠。大事の箱入箱肴室。町殿へ指上クる。献《けん》上監物さあ急けと先キに。押シ立 三重 内匠 〽登行。

征夷《せいゐ》大将軍源ノ義政公。今川両家の家督論《かとくろん》直キに裁許《さいきよ》有ルべきとて。大広間に出ッ御有ければ仁木石堂吉良《いしだうきら》上杉。其外在京の諸大名威義《ゐぎ》を正しく相詰らる。

七太 山名弾正少弼謹《つゝしん》で。兼て上聞に達ッせし天の羽衣。今川駿河ノ守定広ぶんこつを盡し。尋出し上覧にそなへ奉らんと持参仕候所に。今川伊予ノ介仲秋同しく天の羽衣持参仕る段心得す。察《さつ》する所似セ物（92ウ）に極れば御全義に及ばず。ぼつ帰されて然るべう存し奉ると訟《うつたふ》れは。

内匠 いやとよ弾正。両人か持参せし

神ン宝。たとへ偽りをもつて欺《あざむ》く共。全義なく追かへすは政道のくらきに似たり。左右方《さうほう》共に召出せと。

七太 ウ 御諚にかへす詞なく駿河守が肩《かた》を持。出面《づら》をくはされさいさきわろくつぶやきながら座に付は。

式太 地色ウ 駿河守定広。此太 伊予介仲秋。二人 ハル 両人かはらぬ神宝うやく〱敷両手に捧《さゝげ》。左右より立出る。素袍《すはう》袴の取さばき。流石《さすが》高家の事にふれ物に馴ては場うてせぬ。上段の傍《そば》近く二つの箱を直し置。しさつて君を拝謁《はいゑつ》有ル。

内匠 地色ハル 色 義政仰出さるゝは。何れもが訴《うつた》へ先達て聞しに違はず。日の本にならびなき神の御宝。両人が持参不審《いぶかし》し。察する所面々が手柄を諍《あらそ》ひ。名聞《めうもん》の為に偽りを構《かま》へ拵へたる物ならん。二つの内一トつは似せ物。箱をひらかば明ィ白に顕《あら》はるべし。誤《あやまつ》て改るに憚《はゞか》る事なし速《すみやか》（93オ）に白状有レ。罪の疑はしきを軽《かろ》くするは公《おゝやけ》の政道。開かぬ内ぞかうばしき。明て悔《くや》むな旁《かたぐ》と罪の重《おも》きを軽くなし。人をそこなひ給はぬは。実名将の御仁政あつと感《かん》する計也。

式太 地色ハル 色
駿河守進《すゝみ》出。詞 コリヤ仲秋。有がたい上意魂《たましい》へこたへたか。此伯父《おぢ》は甥《おい》を子のごとく不便ンに思ひ。羽衣を尋出した。褒美《ほうび》には我が罪を申請。世間広ふしてやりたさ。欲《よく》にはせぬ甥子の為。其伯父を相手に取てよふも〱似セ物を拵へたな。わかい口から誤ッたとは云にくかろ。いはいでも済《すむ》様に御前体《てい》は身が受合。ナ合点がいたか。明ぬが花じや持ッて立と。地ハル 己が工《たくみ》をしら〱フシ 敷クぬつへりと云ィ廻せば。七太 傍から腰押ス弾正
色 詞
少弼。いやはやおとなしい定広の云分ン。事を破《やぶ》らぬ神妙さ君にも嘸《さぞ》御満悦。結構《けつかう》な伯父の了簡あつと申て御前を立テさ。但シ罪科が恐ろしく。腰が抜ケて得立ずば手を引てくれうぞと。二人 地ハル 二人が悪口。此太 （93
ウ
ウ）耳にもかけず仲秋は御前に向ひ。色 詞 了俊が死後重服《ふく》の穢《けがれ》を憚り。ハル 日延の願早速御許容《きよよう》なし下さる。色 君と 地ウ
神との恵によつて。羽衣を取かへし上覧に入奉る。仲秋が本ン望此上や候べき。詞 盗人《ぬすみて》は片桐才蔵。取かへせしは大道寺新兵衛。此盗人には同類も御座有レ共。夫を申せば血で血を洗ふ一家の恥。地ウ 憚ながら此全義
ウ
は打捨置れ。某が指上し羽衣を御上覧。仰《あふぎ》ハル 願ィ奉ると。式太 云せも果す駿河守膝《ひざ》色 立直し。詞 ヤア同類呼はり聞に

くし。一家の恥とは此定広を名ざゝん計。同類と云証拠《しやうこ》が聞たい。此太 コハ存寄ぬお腹立。身不肖《せう》の仲秋でも一ッ家は広い。どの一家共どなた共そこの名を申さばこそ。いはれさる詞咎お笑止〳〵。地ウ 我君の心は明ィ鏡《きやう》浄頗梨《ぜうはり》の鏡にかける。ハル 地獄《ぢごく》極楽遠きにあらす御政道明か也。御用心色遊ばされよ。式太 詞 ホ、其鏡定広が望む所。うぬが罪を移して見やうはい。此太 ヲ、望ならば其許《もと》の胸の工を移してやらふ。式太 イヤ（94オ）うぬが。此太 イヤこなたの。式太 サア見よ。此太 見せうと。二人 地ウ 互に諍ひ云募《イつのり》。ハル 一度に立て二つのウ箱蓋《ふた》も一度に取の中くれば。ウ寸分かはらぬ二つの羽衣。ウ 天衣王冠荘厳迄。何れを正真似せ物共更に分の見へされば。此太 ウ 偽り申さぬ仲秋も案に相違の其顔色。島太 ウ 末座にひかへし蔵人もフシ心をあせる計也。

内匠 地色中 義政つく〴〵ハル 色 御覧有。詞 此宝の濫觴《らんしやう》は人々も存のことく。景行天皇の勅諚にて移し置し天の羽衣。三保の御社に勧請《くはんじやう》申駿河国主に預給ふ。地中 其例《れい》は下キン今に絶す。中 今川が先祖ウ国民より以来ウ代々譲を受る者。一度是を頂戴《てうだい》して家をウ納る故実《こじつ》となす。ハル 今川の家ならで外にはしらぬ色此羽衣。詞 地色地紋の形格合《なりかつかう》同じ様に見ゆれ

共。一つ有べき物ならねば是非《ぜひ》一トつは似せ物。二タ人リに一ト人リか仕業《しわざ》ならん。地ウ 縫《ぬい》目をほどき見るならば
ハル 善悪は顕はれん。詞 さは有レ代々経《ふる》御宝神の祟《とがめ》も恐れ有。伝へ聞異《い》国には正法邪《じや》法をためさん迚。(94ウ)仏
道外道二つの経巻《きやうくはん》両方に積《つみ》かさね。火をもつて試《こゝろみ》るに外道の書《しよ》は焼失《やけうせ》て。仏ッ書は今に伝りし。地ウ 夫レは
唐土《もろこし》仏の奇瑞《きずい》是は日本神明の。ハル 不思議《しぎ》を眼ン前顕はさんと忝くも御大将。ウ 上段よりおりさせ給ひ。中 ハルフシ 中 自《みつから》
ウ 盥漱《てあらひくちすゝぎ》 キン 打石の火の光りより。ウ 光り輝《かゝやく》神ン宝善悪正に見せしめ給へと。ハル 駿河ノ守が奉りし箱に付木の火ウ
移りて。フシ 灰燼《くはいじん》とこそもへ上る。
地色ウ 伊予ノ介が羽衣には寄セても付ケても松明《たいまつ》を。ハル 水にいるゝがごとくにて炎《ほのほ》はきへて光明の。ウ 輝《かゝや》き渡る神ン徳
神ン威《ゐ》。ウ 恐れみつゝしみ御大将三拝《はい》九拝なし給へば。ウ 中フシ
此島 地ハル 仲秋主従伺公《しこう》の武士にいたる迄あつと敬《うやま》ひ感《かん》し スヱテ
ける。
式太 地色ウ 駿河守は神ン罰《ばつ》の飛火をこはがる身用心。ハル 桃尻《もゝじり》になつてきよろ〳〵 七太 ウ 色 弾正ひるまず。詞 気遣ひせま

い定広。羽衣は灰《はい》になつてもこつちが勝《かち》しや。物を焼クが火の徳たり。いはんや火を取て絹《きぬ》に移《うつ》さばやくる道理焼ク道理。是が正直すなほなる神ン道（95オ）の根元焼ケぬは邪法《じやほう》。ムウ聞へた仲秋は鼠嫌《ぎら》ひ。其鼠から思ひ付た拵《こしら》へ物。火浣布《くはくはんぷ》と云フ異国《いこく》の布は。焼ケても焼ケぬ火鼠の毛で織《おつ》た物。夫レを取寄セ拵へたな。日延《のべ》の願ヒも今よめた。地ウ サア返答《へんとう》有ラば云ッて見よとかさにハルかゝつてき色め付クれば。島太ハル 荒川蔵人つつ色と寄リ。

詞 火に焼ぬを邪法といはゞ。神ン明の誓《ちかひ》に立る湯起請《ゆぎしやう》も邪法か。熱湯《にへゆ》に腕《うで》をつつこんで焼ケ爛《たゞれる》を吉シとして。焼ぬを悪《わる》いにしめさるか。火鼠は愚《おろか》水鼬《みづいたち》で云消《けし》ても。もふ遁れぬ覚悟〳〵。式太 ヤア倍卒《またもの》の分ン際で。弾正殿へ過言ン也すつこんでけつかれと。地ハル いかつて定広やりこ色むれば。此太詞 仲秋聞キ兼倍卒《またもの》も事に寄ルお構《かまい》有な。七太 ヤア事に寄ルとは執事《しつじ》たる此弾正。見下タした小丁児《こでつち》め。島太 ヤア身が主人を小丁児と今一チ言ンいふてみい。式太 又推参《すいさん》な蔵人め。定広か手にかけふか。此太 仲秋が家来討《うた》さぬ〳〵。七太 弾正が討せて見しよ。島太 見事討すか。式太 ヲヽ討んと。（95ウ）四人地ハル 四人か膝《ひざ》を詰《つめ》寄セ〳〵刀に反《そり》打鍔《つは》打たゝき。ウ 互に先を取れじと息を詰る其諍《あらそ》ひ。ウ 事ぞと見へしフシ折からに。

七太 地ハル大道寺新兵衛青砥五郎。監物を引提《さげ》来り庭上に色引すへ。詞我君の御前なるぞまつすぐに白状せよと。地ハル縄さき取て釣《つり》上ヶればあい色た〱〱。詞ちつとおゆるめ。是ふたりながらもふ叶はぬ。姥が餅の喰逃《くいにげ》此やうにとらへられ。何もかも工《たくみ》の段々すつぺりと云ッてのけた。地ハルサアお助ヶと云せも果ず新兵衛。首打チ落せウば弾正色定広つつ立上り。詞どふで一チ度はしらさにやおかぬ。駿河計リの望でない。茶の湯楽舞《らつぶ》に性根を移《うつ》し。政道構《かま》はぬ馬鹿《はか》大将。仕舞《しまふ》てのけるふたりが大望。今此時ぞと抜はなし。地ハル義政公《よしまさ》へ切てかゝる得たりやあふと仲秋蔵人。つつと寄ッて刀もぎ取ひつかづき。とたんのひやうしになげ付ヶれば。フシ勝房藤次《かつふさふぢつぐ》手ばしかく高手小手にぞいましめける。

地色ウ義政御悦喜限りなく（96オ）今に初めぬ今川が。ハル忠義を功に駿河の本ン領。妻がゆかりのウ遠江国迄添《そへ》て安《あん》堵《ど》の御教書《みげうしよ》。二タ人リの敵ウも汝にくれる。心任せにはからへと仰も重《おも》き御宝《みたから》の。ウ二タ度手に入ル悦びは。袖にも天の羽衣の。雲に羽をのす小《ウ》蝶の前。駿《ウ》河の国入嫁入の。祝《ウ》言祝ふ三々九度。本ン領さして帰らるゝ。

国《ウ》も豊に民しづか《キン》おさまる御《ウ》代のことぶきを筆に。伝《つた》へて。残しける

元文五庚申歳
文耕堂
三好松洛
作者連名　浅田可啓
四月十一日
竹田小出雲
千前軒（96ウ）

右之本頌句音節墨譜等令加筆候
師若針弟子如糸因吾儕所伝泝先
師之源幸甚
筑後高弟
竹本播磨少掾
予以著述之原本校合一過可為正本者
也
竹田出雲掾
京二条通寺町西へ入丁　正本屋山本九兵衛版
大坂高麗橋二丁目出店
山本九右衛門版

解　題――今川本領猫魔館

◎底本　松竹大谷図書館蔵（768.42-B89）
◎体裁　大本　一冊
◎表紙　原表紙
◎題簽　原題簽「今川本領猫魔館　竹本播磨少掾直伝／山本九兵衛新板」
◎行・丁数　本文七行・九六丁（実丁）
◎丁付　今壱～今九十五、今九十六了（ノド）
◎内題　今川本領猫魔館
◎年記　元文五庚申歳四月十一日
◎作者　文耕堂・三好松洛・浅田可啓・竹田小出雲・千前軒（本文末）
◎奥書　有
◎板元　（京）山本九兵衛
（大坂）山本九右衛門
◎番付　無
◎絵尽　有
◎初演　元文五年四月十一日　大坂竹本座
『義太夫年表　近世篇』第一巻一二二頁参照
◎主要登場人物

今川了俊	駿河守定広
梶田民部	大道寺新左衛門
荒川蔵人	今川仲秋
片桐才蔵	紅葉
山名弾正	錦木
梶田主税	若葉（おたき）
奥州	又八
荒虎（青砥五郎藤次）	小蝶の前
後室（小蝶母）	犬島丹平
綴喜監物	座頭耳一
嶺松尼	大道寺新兵衛（一角）
李平	

◎梗概
[第一]
（生花の段）13頁2行目～18頁7行目
重い病に伏している今川了俊の元、臣下たちが各々生花を献上して見舞う。駿河守定広も白玉椿に木槿をあしらった生花を持参して見舞いに参じるが、それを見た家の執権大道寺新左衛門は花の種類や花、葉の数などから病気の了俊への当てつけではないかと咎め、定広の家臣梶田民部と口論になる。了俊が自ら仲裁に入り定広への信頼を示すが、そこへ了俊の嫡子仲秋が荒川蔵人を伴い京より戻る。了俊は自身亡き後の道しるべにと、かねて記しおいた書状、後の今川状を仲秋に手渡す。

（密議の段）18頁8行目～21頁4行目

雪の三保が崎にて、定広は密かに家臣梶田民部および浪人片桐才蔵と落ち合い、帝より今川家が預かる天の羽衣を盗み出すよう命じる。羽衣を紛失した科により仲秋を失脚させ、自身が今川の家督を継ごうという魂胆であった。

（跡目祝儀の段）21頁5行目～32頁2行目

時は過ぎ今川了俊が逝去、仲秋は父の忌中を滞りなく勤め終え家督を継ぐ運びとなる。数々の祝儀が届く中、許嫁の小蝶の前の使いとして紅葉が挨拶に参じる。仲秋は祝言が延引している代わりにと、秘蔵の二匹の猫のうち一匹を小蝶の前への土産として渡す。

時を移さず上使の山名弾正が定広を連れて到着し、今川家が代々守る天の羽衣を引き続き宝蔵に納めおくよう仲秋に伝える。仲秋が天の羽衣の縁起を語るうち、民部の弟梶田主税が、駿河国の民百姓からのものであるという壺を献上する。中を改めると数多くの鼠が飛び出してきて、鼠嫌いの仲秋は驚き恐れる。更に壺の中に入っていた書状を読むと、仲秋が上京の間、学問と偽り、九条の里の傾城奥州に現を抜かしていたことが書かれていた。山名弾正と定広は仲秋の不行跡と臆病を責め、仲秋に家督は継がさぬと言うが、仲秋の家臣荒川蔵人が反論する。そこへ羽衣明神の神主、藤浪権太夫が馳せ参じ、大道寺新左衛門立ち会いの下宝蔵を確認したところ、天の羽衣がなくなっていたと告げる。

（羽衣明神の段）32頁3行目～40頁7行目

今川家の老臣大道寺新左衛門は盗人の入った経路を詮索するうち、宝蔵へ続く掘り抜きの抜け道を見つけ、定広に唆されて家来衆とともに穴の中へ入る。そこで新左衛門は梶田民部から片桐才蔵に宛てた書状を見つけるが、定広に奪い取られ、梶田主税にだまし討ちにされる。新左衛門も応戦するが、死の間際に駆けつけた娘の若葉に、勘当した息子新兵衛と心を合わせて羽衣を取り戻すよう遺言する。隠れて見ていた定広が若葉を手に掛けようとするも、荒川蔵人が通りがかり事なきを得る。

［第二］

（花見の段）41頁2行目～54頁6行目

傾城奥州は仲秋が上京すると聞き、禿や幇間を引きつれて山科へと趣く。そこへ武士の行列を見つけ、仲秋と思って駆け寄ったところ、駕籠の中にいたのは以前より奥州に心を掛けていた山名弾正であった。奥州は危うく弾正に手込めにされるところを、荒虎という独り相撲を生業とする男に助けられる。その後仲秋も通りがかり奥州と合流するが、奥州は、浜名の許嫁小蝶の前とやがて祝言を挙げるのであろうと当てこすりを言う。それを聞いた荒虎が、自身は小蝶の前の母後室の実子、青砥の牛五郎であると打ち明け、仲秋に母への取次を頼むが、仲秋は急用ですぐには遠江に戻れないといって取り合わない。荒虎は仕方なく、直接頼んでみようと浜名へ向かう。

（浜名館の段）54頁7行目～62頁10行目

仲秋より贈られた牡猫は手厚くもてなされ、小蝶の前が手ずから猫の羽織を縫うなど並々ならぬ寵愛を受け、女中達からも人気者になっていた。小蝶の母は「猫は罪深い動物であり、人間以上に寵愛すれば却って仇となる」と忠告するが、小蝶の前は気にしない。家来の犬島丹平は、学問を口実に上京し、傾城を受け出した不埒な婿からの贈り物と猫を殴るが、反対に猫に引っかかれて逃げ回る。

そのような折定広が母後室を訪ねて来て、牛五郎を侍分に取り立てるよう進言するが、後室は御恩と義理を重んじて、実の子を館へ引き入れることを拒む。定広は仲秋はおそらく国遠か追放となるであろう、自分を後見とすれば小蝶の前によりよい婿をあてがおうと言い、犬島もそれに同調する。

（浜名館猫またの段）63頁1行目～73頁9行目

夜になると、姫君寵愛の牡猫が猫またとなり小蝶の前の寝所を覗いている。両尾の猫のすがたを見た紅葉は刀を向けるが、猫または縁先から逃げて行き、紅葉はそれを追う。そこへ犬島丹平が立ち出で、相図の拍子木を打つと頭巾を被った大男が植え込みから現れ、犬島の指示により姫を刺し殺すためと寝所へ向かう。

そこへ仲秋が寝所に忍んでやって来て、手燭を掲げた小蝶の前と鉢合わせた。久々の逢瀬に小蝶は喜び、仲秋を寝所へ迎え入れる。そこへ潜んでいた大男が突き出した刀に刺されて仲秋は絶命する。驚いた小蝶の声に母や紅葉、家来達が駆け寄り見れば、死んでいるのは仲秋ではなく手飼いの牡猫であった。

さらに縁の下の大男の正体は牛五郎であり、定広の入れ知恵で小蝶の前を殺そうとしていたことを打ち明け、泣きながら母に詫びる。牛五郎は首尾を確認しにやって来た定広と犬島に姫の首ならぬ猫の死骸を差し出す。驚く犬島の首を討ち、定広もほうほうの体で逃げ帰った。小蝶は兄の手柄と喜び、紅葉と夫婦になるよう取り持つ。母も小蝶に免じて牛五郎を赦し、仲秋に奉公するよう命じる。この牛五郎こそが、後に今川仲秋の股肱の臣と呼ばれる青砥五郎藤次であった。

[第三]

（決断所の段）74頁2行目～86頁6行目

綴喜監物と山名弾正は傾城奥州を手に入れ、また今川の家督を奪わんと謀り、仲秋を決断所に呼び出していた。荒川蔵人は主人仲秋の名代として参上し、改めて天の羽衣紛失について延長を願い出るが、弾正は聞き入れず、仲秋の傾城狂いを咎めるが、蔵人は俄に信じがたく反論する。すると弾正は禿や遣り手、座頭、幇間など廓の者たちを証人として、京での仲秋の様子や、仲秋が奥州を請け出し下屋敷に住まわせていることなどを語らせる。やり込められた蔵人は苦し紛れに、実は奥州は今川了俊の娘、仲秋の妹であり、家名に傷が付かないよう密かに請け出し面倒を見ているのだと言い訳をする。弾正はそれを聞き、妹ならば奥州を我が妻としたい、そうなれば日延べの件も望み通り、仲秋も悪くは扱わない、と持ちかける。追い詰められた蔵人は、監物と共に仲秋の了承を得るため今川の屋敷へと向かう。

（下屋敷の段）86頁7行目～105頁8行目

仲秋が奥州と共に蔵人の帰りを待っていたところ、蔵人は奥州に「妹君」と声を掛け、さらに綴喜監物が、主人山名弾正が妹君をご所望と、結納の品々を持参してきたので驚く。蔵人が事の次第を話すと、最初は取り乱した仲秋であったが、蔵人の懸命の説得により奥州に別れを告げ、浜名の館へと出発する。

奥州は諦めがつかず、弾正に嫁ぐことを拒否する。蔵人と錦木の夫婦が慰め説得しても聞く耳を持たない。蔵人が腹を切って責任を取ろうとすると、奥州の母嶺松尼が押し止め、自分が説得すると申し出て奥州と共に奥の間へ入る。荒木夫妻が待つ間、火燵に伏していた猫が突然起き上がり、毛を逆立てて暴れ回り、きゃっと一声鳴いて飛び出して行ってしまった。しばらくして嶺松尼が荒川夫妻を招き入れると、そこには奥州の亡骸があった。説得しても殺して殺してというばかりの娘をつい手に掛けてしまったが、奥州は死ぬ間際に念仏を勧めても決して唱えず、猫じゃ猫じゃといいながら息を引き取ったという。奥州は猫となって仲秋の後を追ったのかと一同は涙を流して奥州の心を思った。

やがて使者の監物が再来し、奥州の引き渡しを迫る。蔵人が奥州の首を示すと、奥州が仲秋の妹というのが嘘であるため殺したのであろうと迫られるが、そこへ喉に懐剣を突き立てた嶺松尼が現れ、奥州を殺したのは蔵人ではなく自分であり、奥州が妹というのも真実であると作り話の身の上を語り、息絶える。

［第四］

（道行比翼の鳥追）106頁3行目～109頁2行目

仲秋は鳥追い姿に身をやつし、奥州の死も知らぬまま、錦木を供として浜名へと向かう。

（奥州亡霊の段）109頁3行目～114頁10行目

仲秋と蔵人、錦木の一行は浜名の館に到着するが、まだ婚礼を終えていない相手の館をうかつに訪れることは出来ないと、小蝶の前が弾く琴に合わせて三味線を弾き、仲秋の到着を知らせる。小蝶の前は嬉し涙にくれるが、気付けば猫が小蝶の裾にすがり付いている。以前より噂のある、この館の猫またであろうと仲秋がこれを斬ると、恨めしげに仲秋の顔を見ながら息絶えた。仲秋と小蝶が寝所に入ると、奥州の在りし日の姿が影となって現れる。

（小てふの夢）115頁2行目～122頁4行目

奥州の亡霊は猫となって小蝶の夢枕に立ち、恋人を返せと小蝶を恨み、蝶となって飛ぶ小蝶の前を捕らえて冥途に連れて行こうとする。

小蝶は怯えて閨から走り出し卒倒する。母後室が抱きかかえて介抱すると正気を取り戻し、奥州とやらの死霊が猫となって自分を苦しめたと話す。錦木は、奥州が弾正との結婚を拒み命を落としたことを語り、仲秋と一緒にいたいという思いが猫に取り付いたのだろうと推測する。仲秋は奥州の死を初めて知り、畜生道に落ちた奥州の心を思い遣る。

母後室が猫の死骸に自らの御守を置いたところ、猫は起き上がって身震いして駆けていくと、猫またに飛びついて廊下を追い立ててくる。仲秋主従が猫またを取り押さえると、その正体は小天狗という軽業師で、定広に頼まれて小蝶親子を殺そうとしていたことが判明する。

そこへ蔵人が到着し、奥州の嫁入りについては嶺松尼の最期により弾正の心も解け落着したことを伝える。人々は天の羽衣を一刻も早く探し出し、定広の悪事を糺そうと決意する。

（片桐内の段）122頁5行目～142頁3行目

片桐才蔵と女房お滝の間に産まれた一子才太郎は七十五日の宮参りを迎えた。才蔵は子を持たぬ以前と子を持った今では分別が変わったと語り、才蔵の鼓の弟子である松木一角から預かった祝儀をお滝に渡す。才蔵が産土参りに出かけると、一角と杢平が訪ねてくる。実はお滝は大道寺新左衛門の娘若葉、一角は息子新兵衛であった。人目を避けて新左衛門は、羽衣を取り戻し再びお家を立てるための計画を忘れていないか、才蔵は羽衣を盗むような人間ではないと言うが、情にひかれてはいないかと若葉を問い詰める。若葉は涙を流し、親の遺言と夫への義理との狭間に立つ辛さを訴える。

しばらくして才蔵は、梶田民部を連れて帰宅する。民部は才蔵が盗み出した羽衣を受け取るためにやってきたのだが、才蔵は羽衣は手元にないという。民部は怒って出て行くが、その後才蔵は隠し置いた羽衣をお滝に見せ、これを息子に残し出世させたいという望みを語る。一角（新兵衛）は青砥五郎を杢平の代役の浪人と偽って同道し、才蔵のもとへ稽古にやってくる。三人が稽古する間、お滝は夫への義理と親兄への忠孝、二つの間で悩み苦しみ、羽衣を自ら着て天人の姿となり立ち退いて、仲秋の手元へ届けようと考える。しかし愛しい我子と別れがたく泣いているうちに才蔵に見つかり取り押さえられるが、すぐに新兵衛と青砥五郎が駆けつけ才蔵を捕らえる。お滝と一角の正体を知り、観念した才蔵は息子を道連れに自害しようとするが、新兵衛たちは欲心を改め仲秋に奉公するよう説得する。

そこへ梶田民部が手勢を連れて羽衣を返せと攻め寄せてきたが、才蔵は民部を見事に討ち取る。新兵衛と青砥五郎が奉公初めのお手柄と讃えるも、才蔵はもう一手柄と自らの腹へ刀を突き立て自害し、息子才太郎のことを頼むと言い残し息絶える。

[第五]

（草津姥が茶屋の段）142頁5行目～145頁5行目

天の羽衣を取り戻した今川の者達は宝の唐櫃を担いで上洛していた。姥が茶屋に暫し休憩していると、雲助達に唐櫃を奪われてしまう。実はこれは雲助に扮した綴喜監物らの仕業であった。だが監物が唐櫃を開けると中には新兵衛が潜んでおり、監物を捕らえて唐櫃に押し込み連れて行く。

（大広間の段）145頁6行目～152頁2行目

今川の家督争いを裁許するべく征夷大将軍義政が出御し、仲秋は取り戻した羽衣を持参して御前に参上した。しかし同様に定広も、探し出したとする羽衣を持っていた。双方が本物だと主張し小競り合いをするが、義政が自ら双方の羽衣に火を付けると、定広の持参した羽衣は燃え上がって灰となり、仲秋の方は不思議なことに、火を近付けると松明を水に入れたように炎が消えてしまった。その神威に義政公も謹んで三拝九拝する。

かくて真の神宝が明らかになり、定広は神罰を恐れうろたえるが、弾正はなお、物を燃やすのが火の性質なのだから、燃えてしまった方が本物で、燃えない方は邪法だと言い張る。そこへ青砥五郎が監物を連れて来て、将軍の前でこれまでの悪事を白状させる。追い詰められた弾正と定広は義政に斬りかかるが、仲秋と蔵人がこれを取り押さえる。義政は喜び駿河と遠江、両国安堵の御教書を仲秋に与えた。

◎補記

・十行校異本　大阪市立図書館鶴澤清六遺文庫（清六-0021 0012487088）

・26頁10行目　文字譜「キン」は原文「キ」（十行本「キン」）。

・31頁5行目　「腮」。原文は「口」に「思」。

・102頁4行目　「契約」。原文の「約」は「糸偏」に「勹」の中に束。

（上野左絵）

義太夫節人形浄瑠璃上演年表（一七一六－一七六四）

一、この年表は、享保期から明和元年にかけて初演された義太夫節人形浄瑠璃作品について、上演年月と翻刻状況を中心に示したものである。

一、上演年月と外題は主に『義太夫年表　近世篇』八木書店に拠り、神津武男『浄瑠璃本史研究』八木書店を参照した。

一、同一の興行外題による再演（推定を含む）は、その正本の現存が『義太夫年表　近世篇』等で確認されているものを掲出した。

一、年表の座（所演）欄の略号は以下の通り。備考欄の「＊」は所演に係る注記事項。

豊：大坂豊竹座
竹：大坂竹本座
出：大坂伊藤出羽掾座
明：大坂明石越後掾座
陸：大坂陸竹小和泉座
北：大坂北本和泉座
宇：京宇治座
扇：京扇谷豊前掾座
外：江戸外記座
辰：江戸辰松座
肥：江戸肥前座
土：江戸土佐座
喜：竹本喜世太夫座
未：所演座未詳

一、翻刻欄には、第二次世界大戦後、『義太夫節浄瑠璃未翻刻作品集成』以前に刊行された翻刻書（原則として私家版および紀要等の雑誌に掲載されたものは除く）の有無について、以下の記号で示した。

▼：未翻刻
▲：未翻刻（戦前に翻刻あり）
▽：改題本または再演本で未翻刻（原作は翻刻あり）
×：正本の現存不明

一、翻刻欄または備考欄に記した翻刻書等の略号は以下の通り（丸文字は収録巻）。翻刻書が複数ある場合、近松門左衛門作品は『近松全集』岩波書店を、それ以外は最新刊を掲げた。なお、翻刻の会については、『同志社国文学』同志社大学国文学会に掲載された翻刻の一覧を年表末に付記することとした。

加賀：『古浄瑠璃正本集　加賀掾編』大学堂書店、一九八九～一九九三年
海音：『紀海音全集』清文堂出版、一九七七～一九八〇年
一風：『西沢一風全集』汲古書院、二〇〇二～二〇〇五年
義浄：『竹本義太夫浄瑠璃正本集』大学堂書店、一九九五年
旧全：『日本古典文学全集』小学館、一九七〇～一九七六年
旧大：『日本古典文学大系』岩波書店、一九五七～一九六七年
浄翻：『浄瑠璃正本翻刻集』国立劇場、一九八八年～
真宗：『大系真宗史料　伝記編4　真宗浄瑠璃』法藏館、二〇〇九年
新全：『新編日本古典文学全集』小学館、一九九四～二〇〇二年
新大：『新日本古典文学大系』岩波書店、一九八九～二〇〇五年
叢書：『叢書江戸文庫』国書刊行会、一九八七～二〇〇二年
近松：『近松全集』岩波書店、一九八五～一九九四年
半二：『日本古典全書　近松半二集』朝日新聞社、一九四九年
文流：『錦文流全集』古典文庫、一九八八～一九九一年
未戯：『未翻刻戯曲集』国立劇場、一九六七年～
近世篇：『義太夫年表　近世篇』八木書店、一九七九～一九九〇年
未翻刻：『義太夫節浄瑠璃未翻刻作品集成』玉川大学出版部、二〇〇六年～

年	月	座	外題	翻刻	備考
享保1	1	豊	八幡太郎東初梅	海音⑥	
	1頃	豊	鎌倉三代記	海音④	
	夏頃	豊	新板兵庫築島	海音④	
2	春	豊	傾城国性爺	海音③	
	2	竹	国性爺後日合戦	近松⑩	
	8	竹	鑓の権三重帷子	近松⑩	
	9	豊	照日前都姿	×	
	10以前	豊	八百屋お七	海音③	
	10	喜	八百屋お七恋緋桜	▼	＊江戸
	11	竹	聖徳太子絵伝記	近松⑩	
3	1	竹	山崎与次兵衛寿の門松	近松⑩	
	2	竹	日本振袖始	近松⑩	
	3	喜	八百屋お七恋緋桜付り後日	▼	＊江戸
	7	竹	曽我会稽山	近松⑩	
	8	豊	傾城吉原雀	×	
	10	竹	日蓮上人記	×	
	10	竹	傾城酒呑童子	近松⑩	
	11以前	豊	山椒太夫葭原雀	海音④	
	11	豊	今様賢女手習鑑	×	
	11	竹	博多小女郎波枕	近松⑩	
	12	竹	善光寺御堂供養	近松⑭	
4	1	豊	義経新高館	海音④	
	2	竹	本朝三国志	近松⑪	
	5	豊	神功皇后三韓責	海音⑤	
	8	豊	頼光新跡目論	海音⑤	
	8	竹	平家女護島	近松⑪	
	8	辰	八百屋お七江戸紫	▼	
	10	豊	業平昔物語	▽	『河内通』加賀④の改題
	11	竹	傾城島原蛙合戦	近松⑪	
	この年	豊	笠屋三勝二十五年忌	×	『二十五年忌』海音⑥の別本
	この年	喜	熊野権現烏午王	文流㊦	＊大坂曽根崎芝居
	この年	喜	竜宮東門阿波鳴戸	×	＊大坂曽根崎芝居
5	1	豊	鎮西八郎唐土船	海音⑤	
	3	竹	井筒業平河内通	近松⑪	
	8	竹	双生隅田川	近松⑪	

年	月	座	外題	所収	備考
	9	豊	日本傾城始	海音⑤	
	11	竹	日本武尊吾妻鑑	近松⑪	
	12	竹	心中天の網島	近松⑪	
	この年	竹	河内国姥火	▲	未翻刻二⑬
6	1	豊	三輪丹前能	海音⑤	
	2	竹	津国女夫池	近松⑫	
	5	豊	伏見常盤昔物語	×	
	7	竹	女殺油地獄	近松⑫	
	閏7	豊	呉越軍談	海音⑥	
	8	竹	信州川中島合戦	近松⑫	
	10	豊	富仁親王嵯峨錦	海音⑥	
7	1	竹	唐船噺今国性爺	近松⑫	
	1	豊	大友皇子玉座靴	海音⑥	
	1	辰	重井筒難波染	▽	『心中重井筒』近松⑤の改題
					近世篇〈補訂篇〉参照
	3	竹	浦島年代記	近松⑫	
	4	豊	心中二ツ腹帯	海音⑥	
	4	竹	心中宵庚申	近松⑫	
	6	辰	心中二つ腹帯	▽	『心中二ツ腹帯』海音⑥の改題
	9	竹	仏御前扇車	近松⑭	
	11	豊	東山殿室町合戦	海音⑦	
	顔見世	豊	坂上田村麿	海音⑥	近世篇参照
8	1	豊	玄宗皇帝蓬莱鶴	海音⑦	
	1	未	花毛氈二つ腹帯	×	＊江戸『心中二ツ腹帯』海音⑥の改題
	2	竹	大塔宮曦鎧	近松⑭	
	5	豊	記録曽我玉笄髷	▼	未翻刻二⑭
	7	豊	井筒屋源六恋寒晒	一風④	
	7	豊	傾城無間鐘	海音⑦	
	11	豊	建仁寺供養	一風④	
	11	竹	桜町昔名花	×	
9	1	竹	関八州繋馬	近松⑫	
	2	豊	頼政追善芝	一風④	
	7	竹	諸葛孔明鼎軍談	叢書⑨	
	10	豊	女蝉丸	一風⑤	
	11	竹	右大将鎌倉実記	▲	未翻刻一⑪
10	1	豊	昔米万石通	一風⑤	
	3	豊	南北軍問答	一風⑤	
	5	豊	身替弖張月	一風⑤	

	5	竹	出世握虎稚物語	▲	未翻刻一①
	6	竹	復鳥羽恋塚	▽	『一心五戒魂』義浄㊤の改題
	9	竹	大内裏大友真鳥	叢書⑨	
	10	豊	大仏殿万代石楚	一風⑤	
11	2	豊	曽我錦几帳	▼	未翻刻二⑮
	4	豊	北条時頼記	一風⑥	
	9	竹	伊勢平氏年々鑑	▲	未翻刻一④
12	1以前	外	頼政追善芝	▽	『頼政追善芝』一風④の江戸上演
	1	竹	敵討御未刻太鼓	▲	未翻刻二⑯
	2	豊	清和源氏十五段	▼	未翻刻一⑥
	4	竹	七小町	叢書⑨	
	8	竹	三荘太夫五人嬢	叢書⑨	
	8	豊	摂津国長柄人柱	叢書⑩	
13	2	豊	尊氏将軍二代鑑	▼	未翻刻一⑤
	3	竹	工藤左衛門富士日記	▲	未翻刻一③
	5	豊	南都十三鐘	▼	未翻刻二⑰
	5	竹	加賀国篠原合戦	叢書⑨	

	この頃	豊	頼政扇の芝	▽	『頼政追善芝』一風④の改題
14	1	豊	後三年奥州軍記	叢書⑩	
	2	竹	尼御台由比浜出	▼	未翻刻三㉓
	6	竹	新板大塔宮	×	『大塔宮曦鎧』近松⑭の改題
	8	竹	眉間尺象貢	▲	未翻刻五㊸
	9	豊	藤原秀郷俵系図	▼	未翻刻一②
	11	竹	京土産名所井筒	▼	未翻刻一⑦
15	1	豊	蒲冠者藤戸合戦	▼	未翻刻三㉔
	2以前	竹	梅屋渋浮名色揚	▼	未翻刻二⑱
	2	竹	三浦大助紅梅靮	叢書㊳	
	5	豊	本朝檀特山	▲	未翻刻三㉕
	8	竹	信州姨拾山	▲	未翻刻一⑧
	8	豊	楠正成軍法実録	▼	未翻刻二⑲
	11	竹	須磨都源平躑躅	▲	未翻刻一⑩
16	1	豊	源家七代集	▼	未翻刻二⑳
	4	豊	和泉国浮名溜池	▼	未翻刻二㉑
	6	豊	酒呑童子枕言葉	×	『酒呑童子枕言葉』近松⑥の豊竹座上演
	9	竹	鬼一法眼三略巻	▲	未翻刻一⑨

年	月	座	外題	所収	備考
	9以前	豊	殺生石	海音④	
	9以前	豊	忠臣青砥刀	海音⑦	
	9以前	豊	本朝五翠殿	海音④	
	9以前	豊	浄瑠璃古今序	海音④	
	9以前	豊	金平法問諍 忠臣身替物語	▽	『今様かしは木忠臣身替物語』義浄㊤の改題
	10	豊	赤沢山伊東伝記	▼	未翻刻一⑫
17	4	豊	八百屋お七恋緋桜	▽	『八百屋お七』海音③の改題
	4	竹	増補用明天王	▼	未翻刻七㉜
	5	豊	今様傾城反魂香	▼	未翻刻八73
	6	竹	伊達染手綱	▽	『丹波与作待夜のこむろぶし』近松⑤の改題
	9	竹	壇浦兜軍記	旧全㊺	
	9	豊	待賢門夜軍	▼	未翻刻四㉝
	10	豊	忠臣金短冊	叢書⑩	
	12	出	前内裏島王城遷	▼	未翻刻七63
18	2	豊	お初天神記	▽	『曽根崎心中十三年忌』海音⑦の改題
	4	竹	車還合戦桜	▲	未翻刻三㉖
	4	豊	鎌倉比事青砥銭	▲	未翻刻二㉒

年	月	座	外題	所収	備考
	6	竹	景事揃	×	
	7	竹	重井筒容鏡	▽	『心中重井筒』近松⑤の改題
	7	豊	莠伶人吾妻雛形	▼	未翻刻五㊹
19	2	竹	応神天皇八白幡	叢書㊳	
	5以前	辰	伊勢平氏年々鑑	▽	『伊勢平氏年々鑑』未翻刻④の江戸上演
	5以前	辰	傾情山姥都歳玉	▼	未翻刻六53
	5以前	辰	西行法師墨染桜	▽	『西行法師墨染桜』文流㊤の江戸上演
	6	豊	曽我昔見台	▼	未翻刻三㉗
	8	豊	那須与一西海硯	叢書⑪	
	10以前	未	契情我立杣	▼	＊江戸 未翻刻八74
	10	竹	芦屋道満大内鑑	新大93	
20	1	竹	元日金歳越	▲	未翻刻三㉘
	2	豊	南蛮鉄後藤目貫	×	写本（八種）が伝存 叢書⑪底本は演博本『南蛮銅後藤目貫』
	5	豊	万屋助六二代〔衤+希〕	▲	未翻刻三㉙
	8	豊	苅萱桑門築紫轢	▲	未翻刻四㉞

年	月	座	外題	記号	備考
	9	竹	甲賀三郎窟物語	叢書㊳	
元文1	2	竹	赤松円心緑陣幕	▼	未翻刻五㊺
	2	竹	天神記冥加の松	×	
	3	豊	和田合戦女舞鶴	叢書⑪	
	5	竹	十二段長生島台	×	
	5	竹	敵討襤褸錦	▲	未翻刻六(54)
	10	竹	猿丸太夫鹿巻毫	叢書㊳	
	この頃	未	今様東二色	▼	＊江戸 未翻刻四㉟
2	1	豊	安倍宗任松浦簦	▲	未翻刻五㊻
	1	竹	御所桜堀川夜討	叢書㊳	
	1	竹	菅丞相冥加松梅	×	『浄瑠璃本史研究』参照
	7	豊	釜渕双級巴	▲	未翻刻四㊱
	10	竹	太政入道兵庫岬	▼	未翻刻五㊼
3	1	竹	行平磯馴松	叢書㊳	
	4	豊	丹生山田青海剣	▲	未翻刻四㊲
	8	竹	小栗判官車街道	叢書㊵	
	10	豊	茜染野中の隠井	▲	未翻刻六(56)
4	2	豊	奥州秀衡有髷婿	未戯③	
	4	竹	ひらかな盛衰記	旧大(51)	未翻刻八(75)

年	月	座	外題	記号	備考
	8	豊	狭夜衣鴛鴦剣翅	新大(93)	
5	2	豊	鶊山姫舎松	叢書⑪	
	4	豊	本田義光日本鑑	▲	未翻刻五㊽
	4	竹	**今川本領猫魔館**	▲	未翻刻八(76)
	7	竹	将門冠合戦	▲	未翻刻七(64)
	9	豊	武烈天皇艤	▲	
	11	竹	追善百日曽我	×	
	11	竹	恋八卦柱暦	▽	『大経師昔暦』近松⑨の改題（戦前に翻刻）
寛保1	1	竹	伊豆院宣源氏鏡	▲	未翻刻七(65)
	3	豊	本朝斑女簑	▼	
	5	竹	新うすゆき物語	新大(93)	
	5	豊	青梅撰食盛	▼	未翻刻八(82)
	7	豊	播州皿屋舗	叢書⑪	
	9	豊	田村麿鈴鹿合戦	▼	未翻刻四㊳
2	2	竹	花衣いろは縁起	▼	未翻刻四㊴
	3	豊	百合稚高麗軍記	▼	未翻刻四㊵
	3	肥	石橋山鎧襲	▼	未翻刻四㊶
	4	竹	室町千畳敷	▽	『津国女夫池』近松⑫の改題（戦前に翻刻）

年	月	座	外題		備考
	7	竹	男作五雁金	叢書㊵	
	8	豊	道成寺現在蛇鱗	叢書㊲	
	9	豊	鎌倉大系図	▼	未翻刻五㊾
3	3	豊	風俗太平記	▼	
	4	竹	入鹿大臣皇都諍	▼	未翻刻六(56)
	5	竹	丹州爺打栗	▼	未翻刻三㉚
	8	豊	久米仙人吉野桜	叢書㊲	
延享1	3	竹	児源氏道中軍記	▼	未翻刻六(57)
	3	肥	義経新含状	▲	未翻刻八(77) 改題本『後藤伊達贖』が戦前に翻刻
	4	豊	潤色江戸紫	▲	
	9	豊	柿本紀僧正旭車	▼	未翻刻七(66)
	11	竹	ひらかな盛衰記	▽	近世篇参照
	11	竹	八曲筐掛絵	▼	未翻刻七(72)
	12	豊	遊君衣紋鑑	▼	未翻刻六(58)
2	1	明	三軍桔梗原	▼	
	2	竹	軍法富士見西行	叢書㊵	
	2	豊	詩近江八景	▼	未翻刻八(78)
	3	未	萬葉女阿漕	×	写本（一種）が伝存 未翻刻七(67)

年	月	座	外題		備考
	4	明	延喜帝秘曲琵琶	▼	
	5	豊	増補大仏殿獻礎	▼	未翻刻六(59)
	7	竹	夏祭浪花鑑	旧大(51)	
	8	豊	浦島太郎倭物語	▼	未翻刻八(79)
	閏12	陸	唐金茂衛門東鬘	▼	
3	1	竹	楠昔噺	叢書㊵	
	5	竹	追善仏御前	×	『仏御前扇車』近松⑭の改題
	5	竹	追善重井筒	▽	『心中重井筒』近松⑤の改題
	5	豊	酒呑童子出生記	▼	未翻刻五㊿
	7以前	竹	博田小女郎思湫	▽	『博多小女郎波枕』近松⑩の改題
	8	陸	歌枕棣棠花合戦	▼	未翻刻七(68)
	8	竹	菅原伝授手習鑑	旧全㊼	
	10	陸	女舞剣紅楓	▼	未翻刻六(60)
	11	豊	花筏巌流島	▼	未翻刻八(80)
4	2	豊	裙重紅梅服	▼	
	2	陸	鎮西八郎射往来	▼	
	2以降	陸	氷室地大内軍記	×	
	3	豊	万戸将軍唐日記	▼	

	7	豊	悪源太平治合戦	▼	
	8	竹	傾城枕軍談	▼	未翻刻三㉛
	10	肥	いろは日蓮記	▼	未翻刻四㊷
	11	竹	義経千本桜	新大(93)	
寛延1	1	豊	容競出入湊	未戯⑫	
	7	豊	東鑑御狩巻	▼	未翻刻七(69)
	8	竹	仮名手本忠臣蔵	新全(77)	
	9	宇	住吉誕生石	▼	
	11	豊	摂州渡辺橋供養	叢書㊲	
2	3	豊	八重霞浪花浜荻	浄翻①	
	4	竹	粟島譜嫁入雛形	▼	未翻刻五(51)
	7	辰	粟島譜利生雛形	×	『粟島譜嫁入雛形』未翻刻(51)の改題
	7	豊	華和讃新羅源氏	真宗	
	7	豊	なには五節句操大踊	×	
	7	竹	双蝶蝶曲輪日記	新全(77)	
	10	肥	日蓮記児硯	▽	『いろは日蓮記』未翻刻㊷の改題
	11	豊	物ぐさ太郎	▼	未翻刻五(52)
	11	竹	源平布引滝	旧大(52)	未翻刻八(81)

3	3	豊	手向八重桜	浄翻①	
	6	豊	夏楓連理枕	▼	
	8	肥	新板累物語	▼	未翻刻六(61)
	8頃	豊	傾城買指南	▼	未翻刻八(82)『浄瑠璃本史研究』参照
	11	竹	文武世継梅	▼	未翻刻六(62)
宝暦1	1	豊	玉藻前曦袂	▼	未翻刻七(70)
	2	竹	恋女房染分手綱	▼	未翻刻七(71)
	4	豊	浪花文章夕霧塚	▼	
	7	竹	仕合丸浪花入船	×	
	7	豊	頼政扇子芝	▽	『頼政追善芝』一風④の改題
	8	肥	八幡太郎東海硯	▼	
	10	豊	日蓮聖人御法海	未戯⑩	
	10	竹	役行者大峰桜	叢書⑭	
	12	豊	一谷嫩軍記	▲	未翻刻三㉜
	この頃	肥	親鸞聖人絵伝記	×	
2	2	竹	名筆傾城鑑	▼	
	5	竹	世話言漢楚軍談	▼	
	7	肥	太平記枕言	▼	

	11	竹	伊達錦五十四郡	▼	
	12	豊	倭仮名在原系図	▼	
3	5	竹	愛護稚名歌勝鬨	叢書⑭	
	7	豊	雄結勘助島	▼	
4	1	竹	菖蒲前操弦	▲	
	2	豊	相馬太郎孳文談	▼	
	4	竹	小袖組貫練門平	▼	
	7	豊	義経腰越状	▼	
	10以前	竹	太平記曦鎧	▽	＊京『大塔宮曦鎧』近松⑭の改題
	10	竹	小野道風青柳硯	叢書⑭	
	10頃	竹	恋女房染分手綱	▽	＊京
	12	豊	天智天皇苅穂庵	▼	
5	4	豊	三国小女郎曙桜	▼	
	6	竹	庭涼座鋪操	▼	
	7	豊	双扇長柄松	▼	
	7	竹	庭涼操座鋪	▼	
	11	竹	拍子扇浄瑠璃合	▼	
	11	竹	年忘座鋪操	▼	
6	2	竹	崇徳院讃岐伝記	▼	
	3	豊	義仲勲功記	▼	
	5	竹	業平男今様井筒	▽	＊京『京土産名所井筒』未翻刻⑦の改題
	10	竹	平惟茂凱陣紅葉	▼	
	閏10	豊	甲斐源氏桜軍配	▼	
	この年	豊	和田合戦女舞鶴	▽	近世篇参照
7	1	豊	写倆足利染	▼	
	2	竹	姫小松子の日遊	▼	
	3	豊	前九年奥州合戦	▼	
	7	肥	泉三郎伊達目貫	▼	
	9	竹	薩摩歌妓鑑	▼	
	12	豊	祇園祭礼信仰記	叢書㊲	
	12	竹	昔男春日野小町	▼	
8	3	竹	敵討崇禅寺馬場	▼	
	8	肥	聖徳太子職人鑑	▼	
	8	竹	蛭小島武勇問答	▼	
9	2	竹	日高川入相花王	未戯⑦	
	3	豊	芽源氏鶯塚	▼	
	5	豊	難波丸金鶏	▲	
	9	竹	太平記菊水之巻	叢書⑭	

年	月	座	外題		備考
	10	竹	楠正行軍略之巻	×	＊京『太平記菊水之巻』叢書⑭の改題
	12	豊	先陣浮洲巌	▼	
10	3	豊	桜姫賤姫桜	▼	
	7	竹	極彩色娘扇	▼	
	11	竹	年忘座舗操	×	＊大坂曽根崎新地芝居
	12	豊	祇園女御九重錦	叢書㊲	
11	1以前	竹	浪花土産年玉操	×	＊京
	1	竹	安倍清明倭言葉	▼	
	3	豊	八重霞浪花浜荻	▽	＊大坂曽根崎新地芝居 近世篇参照
	5	竹	由良湊千軒長者	▼	
	5	豊	曽根崎模様	▼	＊大坂曽根崎新地芝居
	9	豊	人丸万歳台	▼	
	9頃	豊	下総国累矗	×	近世篇〈補訂篇〉参照
	10	竹	冬籠難波梅	×	
	11	竹	古戦場鐘懸の松	▼	
12	2	豊	三好長慶碪軍談	▼	
	3	竹	花系図都鑑	▼	
	閏4	豊	岸姫松轡鑑	▼	

年	月	座	外題		備考
	6	竹	夏景色浄瑠璃合	×	
	夏	未	忠臣五枚兜	×	写本（一種）が伝存『浄瑠璃本史研究』参照
	9	竹	奥州安達原	半二	
13	3	豊	洛陽瓢念仏	▼	
	4	竹	山城の国畜生塚	叢書⑭	
	4	竹	天竺徳兵衛郷鏡	未戯⑤	
	4	豊	新舞台咲分牡丹	▼	
	7	豊	新舞台扇子錦木	▼	『浄瑠璃本史研究』参照
	8	竹	御前懸浄瑠璃相撲	×	
	12	豊	馬場忠太紅梅箙	▼	
	宝暦年中	竹	あづま摂恋山崎	×	
	宝暦年中	竹	天神記恵松	▽	『天神記』近松⑧の改題
	宝暦末頃	未	鉐石川五右衛門	×	＊京『浄瑠璃本史研究』参照
明和1	1	土	吉野合戦名香兜	▼	
	1	北	須磨内裏甥弓勢	▼	
	1	竹	傾城阿古屋の松	▼	
	3	外	増補姫小松子日の遊四段目	▼	『浄瑠璃本史研究』参照
	4	豊	官軍一統志	▼	

4	肥	祇園祭金閣寺小袖之鏡	×	
4	竹	京羽二重娘気質	▲	
夏	肥	乱菊枕慈童	×	『浄瑠璃本史研究』参照
7	竹	敵討稚物語	▲	
8	外	明月名残の見台	×	
8	扇	増補女舞剣紅葉	▼	
9	外	菊重藨月見	×	
10	豊	嬢景清八島日記	▼	近世篇参照
11	豊	二ツ腹帯	▽	近世篇〈補訂篇〉参照
11	竹	江戸桜愛敬曽我	×	
12	竹	冬桜咲分錦	×	近世篇〈補訂篇〉参照
12	豊	いろは歌義臣鍪	▲	

（義太夫節正本刊行会）

［付記］翻刻の会（同志社大学）による翻刻一覧

享保13　尊氏将軍二代鑑　『同志社国文学』五七・六〇・六二
元文5　武烈天皇艤　『同志社国文学』六四・六六
寛保1　本朝斑女簺　『同志社国文学』四〇
寛保3　風俗太平記　『同志社国文学』三七
延享1　潤色江戸紫　『同志社国文学』九二・九三
延享4　悪源太平治合戦　『同志社国文学』七〇・七五
宝暦2　名筆傾城鑑　『同志社国文学』四五・四六
宝暦8　聖徳太子職人鑑　『同志社国文学』九六・九八
宝暦11　曽根崎模様　『同志社国文学』四一・四三
明和5　よみ売三巴　『同志社国文学』八二
明和6　振袖天神記　『同志社国文学』八八・九〇
寛政9　会稽多賀誉　『同志社国文学』七四・七七

義太夫節正本刊行会《ぎだゆうぶししょうほんかんこうかい》

飯島　満	伊藤りさ	上野左絵*	川口節子
黒石陽子	坂本清恵	桜井　弘	髙井詩穂
田草川みずき	富澤美智子	原田真澄	東　晴美
渕田裕介	森　貴志	山之内英明	

（*は本巻担当者）

義太夫節浄瑠璃未翻刻作品集成《ぎだゆうぶしじょうるりみほんこくさくひんしゅうせい》（第《だい》8期《き》）(76)

今川本《いまがわほん》 領《りょう》 猫魔《ねこまた》 館《やしき》

2025年2月25日　初版第1刷発行

編者 ―――――― 義太夫節正本刊行会
発行者 ――――― 小原芳明
発行所 ――――― 玉川大学出版部
〒194-8610 東京都町田市玉川学園6-1-1
TEL 042-739-8935　FAX 042-739-8940
http://www.tamagawa.jp/up/
振替 00180-7-26665
装丁 ―――――― 松田洋一（原案）・しまうまデザイン
印刷・製本 ――― 創栄図書印刷株式会社

乱丁・落丁本はお取り替えいたします。

ISBN978-4-472-01698-1 C1091 / NDC912